tatuaże
po wewnętrznej
stronie powiek

WARSZAWSKA
FIRMA
WYDAWNICZA

HAMPSHIRE COUNTY LIBRARY
9788380117358
C015440142

tatuaże po wewnętrznej stronie powiek

kinga pacanowska

Warszawa
2014

Kinga Pacanowska

Tatuaże po wewnętrznej stronie powiek

Warszawa 2014
ISBN 978-83-8011-735-8

KOREKTA, SKŁAD, PROJEKT OKŁADKI
Pracownia Wydawnicza AD VERBUM

WYDAWCA
Warszawska Firma Wydawnicza s.c.
ul. Ratuszowa 11 / bud. 5 / lok. 19
03-450 Warszawa
www.wfw.com.pl

DRUK
Fabryka Druku Sp. z o.o.
ul. Zgrupowania AK Kampinos 6
01-943 Warszawa
www.fabrykadruku.pl

to krzyk i wyciszenie
książka o Tobie

część
I

I

wierząc w swą nieśmiertelność, często spacerował granicami życia.

przeżył już tyle, by wiedzieć, że zarówno samotność, jak i ludzie dają ból.

różny, ale odczuwalny.

cierpki, pełen napięcia i wstrzymywanych oddechów.

szukał dla siebie Legowiska.

własnego, ciepłego, nieprzepuszczającego łez.

jednocześnie wydawał się sobie nieprzyswajalny.

nieprzyswajalny jeśli chodzi o dni codzienne, relacje z ludźmi, z samym sobą.

nie poukładał się jeszcze.

naturalna była odczuwalna różnica między jego wiekiem młodzieńczym – kiedy burze miał pod powiekami każdego dnia, szarpał nerwy na oślep i wył do utraty sił, kąsając siebie i innych bezwiednie – a dniem obecnym.

z wiekiem lekko ostygł, złagodniał, a może po prostu czuł zmęczenie upływem czasu, które barwiło mu tęczówki na stalowo i wplatało w rozwichrzone włosy kłosy siwych sekund.

nauczył się żyć wolniej; prawie bez drgnienia przestępował z dnia w dzień, z jednej nocy w kolejną.

więcej widział.

więcej czuł.

mniej cierpiał.

a może po prostu oswoił ból.

2

– zaśnij moimi snami, a później obudź się w tym życiu i powiedz, że jest ono piękne… – burknął pijany barmanowi. – śnij kobiety nieczułe i te kochające zbyt zachłannie, zaborczo i władczo. obserwuj i czuj się obserwowany. pisz listy na starej papeterii i wysyłaj, wiedząc, że ich słowa nie będą zrozumiane. czuj ból i spróbuj go opisać najbliższej osobie – nie znając słów, które potrafiłyby go wyszarpać spod skóry tak, by mogła go ona poczuć po to, by pojąć. żyj bezsilnością. samotnością w tym, jak odczuwasz każdą sekundę i miliardy obrazów, dźwięków, smaków i zapachów w niej zawartych. jak pokazać subiektywnie postrzegane piękno, które ktoś widzi już inaczej? jak dać poczuć komuś piękno, które widzisz w rzeczy dla innych szarej i przyziemnej? swój posmak tej chwili… ludzie żyją subiektywnie, nawet ze sobą, nawet w największej miłosnej symbiozie… więc tak naprawdę żyją osobno.

barman milcząco uzupełnił mu szklankę.

– wiesz, jaki jest pierwszy symptom lęku przed rozstaniem? – spojrzał na swojego rozmówcę.

– nie – barman wzruszył ramionami.

– gdy bliska ci osoba jest szczęśliwa, przypisujesz to czynnikom zewnętrznym; gdy jest smutna, przypisujesz to sobie. takie były moje kobiety. „a może to kwestia kompleksów" – dokończył myśl pod nosem.

3

umiał się czasem rozczulić.

powody musiały być raczej prozaiczne, bo wszelkie zbyt wzniosłe przywodziły mu na myśl ekstatyczne, pseudointelektualne monologi jego ojca i doprowadzały do nerwowej czkawki.

kobiety go rozczulały.

kobiety inteligentne i jednocześnie proste.

wiedział, że takie połączenie jest cholernie mało prawdopodobne.

dawało mu to wewnętrzny spokój i zdejmowało z niego strach – odwieszając w nieistotność jak płaszcz w przedpokoju po spacerze w śnieżycy.

w kobiety tego pokroju inwestował emocje i pieniądze.

z ww. powodu nie lękał się bankructwa czy bolesnego ucisku pod sercem.

przeglądając lata swojego dość długiego już życia, umiał je imionami zliczyć na palcach jednej ręki.

choć daleko jej było do serca, najgłębiej pod skórę weszła mu matka dwójki dzieci, z dwóch różnych ojców, która na wspomnienie każdego z nich spluwała jedynie pod nogi. szanowana wykładowczyni historii na jednej z renomowanych uczelni. po godzinach lubiła dobry alkohol i dobry seks na kuchennym stole. gdy dochodziła, wykrzykiwała ważne daty. musiał zatykać jej usta w motelach. musiał kupić nowy stół. ale z historii się podszkolił.

często – już po wszystkim – zastanawiał się, czy ją kochał. był do niej przywiązany, choć nie znosił tego określenia. uwłaczało mu. lubił ją, to na pewno.

kiedy wynosiła się od niego, pakując w pośpiechu swoją jedyną walizkę, chwycił się ostatniego sposobu i powiedział, że ją kocha.

wypowiedział te słowa i sam się nimi zdziwił.

zauważyła to.

warknęła coś na odchodne, trzasnęła drzwiami i tyle ją było widać.

4

pił wódkę.

lubił wódkę.

była jak ostry seks – rzeczowa i złudnie zimna.

kiedy odpoczywał od kobiet, degustował kieliszkiem samotność. za każdym razem przepraszał się z nią przy barze, poznawał od nowa, rozsmakowywał i czuł spóźnioną tęsknotę.

nie było to picie smutne czy zatapianie pustki kolejnym stuknięciem szkła o blat.

nie odganiał się nim ani od nocy, ani od dnia.

to była przyjemność.

wznosił myślami toasty za pejzaże kobiecych twarzy.

za te wiecznie go kochające miłościami niemożliwymi, niedopasowanymi, wypłakanymi, przegapionymi, zaprzepaszczonymi, skrytymi czy wykrzyczanymi.

i za te wykrzywione na myśl o nim; nienawidzące, obelżywe czy wykalkulowane.

– „kobiety zakochują się szybko… – pomyślał. – i zanim się obejrzą, wyobrażenia przera-

stają rzeczywistość, wszczepiając pod skórę ból.
a wszystko może być tak proste".

5

siedział w milczeniu pochylony przy barze, oparty o podwójną wódkę z lodem, gdy dosiadła się obok i zamówiła butelkę wina.

– pije pan sam?

– myślę o poezji – odburknął.

– o poezji?

– że jest bardziej skomplikowana niż proza życia... widzi pani... prozą jest to, że po butelce wina będzie panią jutro boleć głowa. nie chce mi się o tym myśleć. zastanawiam się natomiast, jak już pani wypije to wino, ile w tej butelce pomieściłbym wierszy...

6

gdy przychodziła bezsenność, wcale się nie niepokoił.

przeczekiwał jej przypływy z cierpliwością godną starca.

zakopywał zmęczone oczy w stosach walających się po podłogach książek.

wychodził z domu, który i tak nie był w stanie ukołysać go każdej nocy.

marzły mu dłonie na spacerach i czuł, że żyje.

przypominał sobie te momenty najpełniejszej samoświadomości i poczucia chwili, gdy noc zastawała go wśród pól dzikich traw, wilgocią pochylonych nad mokrą ziemią. gdy wałęsał się nieznanymi ulicami, z gazetą za pasem, czy przeskakiwał kałuże z dwoma kubkami gorącej kawy z mlekiem – czując, jak wychlapywane krople słodko parzą mu dłonie.

zawsze patrzył w niebo, szukając ptaków.

lubił milczeć do siebie. nie przeszkadzały mu dotyki ludzkich spojrzeń. kiedy zmarł mu ojciec, nie poczuł nic innego poza ulgą, że matka w końcu zaśnie spokojnie.

płakał, gdy samochód potrącił psa.

umiał odliczać czas do przodu i wstecz.

czasami czuł, że bezwolne dni przemaczają mu kurtkę – w tym najchłodniejszym miejscu, przy obojczykach i karku.

stawał się wtedy zły i podstarzały.

szybkim krokiem przemierzał nocne miasto, zaciskając pięści w kieszeniach i szukając zimnej wódki w opustoszałej knajpie. czasami dni lepił jak chciał. były wtedy pełne jasnego światła i lekkości piór. dawał je każdemu, kto wyciągnął po nie rękę. z dziecinną bezradnością patrzył, jak – poza nim – stają się ciężkie i blakną.

7

szedł krawędzią nocy.

papieros w zębach, wino we krwi, rozłożone ręce na wiatr.

pierwszy raz od tak dawna szedł dla samych kroków, bez celu i bez tych wszystkich ciężkich emocji, popychających go na brzegi czucia, którego nie potrafił w sobie pomieścić, którego nie potrafił nawet nazwać, by zrozumieć. miał tej nocy stalowoszare oczy, zabarwione kolorem zdjętym z nieba na obrzeżach miasta.

usłyszał odległy grzmot.

– „burze zimą zdarzają się jedynie w ludziach" – pomyślał, patrząc w chmury.

gdzieś daleko pory roku tarły się o siebie w chorym tańcu.

niemożliwe chciało stać się możliwe.

jak on.

8

– gdybym miał czytnik myśli, spisałbym tysiące książek – wracał do siebie z wypełnionymi po brzegi siatami. papieros w kąciku ust, zimna wódka pobrzękiwała gdzieś koło kolan. miał pozagryzane do krwi usta i wyglądał trochę jak lump, któremu ktoś niedawno dał po ryju.

szła przed nim jakaś wypacykowana paniusia. pozostawiała za sobą subtelny zapach drogich perfum. wisiał na nim węchem, wlokąc się w stronę swojej nory. z tyłu mogła mieć około trzydziestki. mocne, szczupłe uda; spięte pośladki okalały koronkowe majteczki, odznaczające się pod białymi spodniami. szła krokiem pewnym, na wysokich obcasach, po niebotycznie nierównym chodniku. lekko bujała biodrami.

– „sąsiadka – zawyrokował w myślach. – inaczej dawno skręciłaby sobie kark na tych wertepach".

rozważał, czy by jej nie zaprosić do siebie, poczęstować zimną wódką i opowieściami nie z tego świata. a może dać jej drinka, czekać, aż ją rozgrzeje, i pokazać jej łóżko. przydałby mu się dobry, szybki seks. zaraz jednak z tego zrezygnował. kobiety nigdy nie wiedzą, kiedy wyjść, a jeszcze rzadziej: co to dobry seks. a na kiepski seks szkoda i czasu, i energii.

męczyła go również sama myśl, że musiałby silić się na miłą oprawę. poza tym kobiety dojrzałe nie chcą szybkich numerków z sąsiadami. chcą mieć mocny dom, męża zarabiającego więcej od mężów sąsiadek i koleżanek z pracy; zdrowe, piękne dzieci i kochanka – inteligentnego adonisa, z papierami po pięciu kursach, który nosiłby koszule z wólczanki, t-shirty z benettona, miałby roczny karnet na solarium i wznosiłby pod niebiosa „achy" i „ochy" przy każdym jej kroku czy wykładzie na temat globalnego ocieplenia i głodujących dzieci w Afryce. a on w dupie miał kursy, lubił globalne ocieplenie, a głodowanie miał w domu równie często co sraczkę z przepicia.

jeszcze chwilę pogryzł sąsiadkę wzrokiem po tyłku i skręcił do siebie.

9

– jesteś jedyna w swoim rodzaju... – uśmiechnął się do swojej towarzyszki. – „jak każda z kobiet" – pomyślał już tylko, bo wypowiadanie tego na głos mogło pokrzyżować mu plany na tę noc. był już dość znudzony zbyt długą rozmową przy kawie, w zbyt schludnym lokalu. nie chciał rozmowy, chciał łóżka i tej kobiety w tym łóżku. nagiej, głodnej i gotowej zmęczyć jego ciało do tego stopnia, by znalazł sen, jak tylko zostanie sam.

– pewnie każdej to mówisz – wydęła przekornie usta, udając obrażoną.

– oczywiście, tylko na różne sposoby – nie kłamał.

– uroczo...

spodobało mu się, w jaki sposób wypowiedziała to słowo. dawno go już nie słyszał i teraz wydało mu się jeszcze bardziej intensywnie gorzko-słodkie. zamówił im tym razem po mocnym drinku.

– wypij – podsunął jej jedną ze szklanek.

– chcesz mnie tym omamić? – wzięła ją do ręki i spojrzała na niego przelotnie, zanim umoczyła usta w zawartości.

– chcę cię tym rozebrać, zamknąć ci usta i rozłożyć uda... – zaśmiał się szczerze. – ale to za chwilę...

nie wydawała się zdziwiona jego słowami. powoli upijała zawartość szklanki i zdawała się nie zwracać uwagi na to, że jak ogień parzy jej usta.

– a jeśli ci powiem, że nie pójdę do ciebie? – zapytała nagle.

– no cóż... – przyciągnął jej fotel do swojego. – wtedy pomyślę sobie, że zmarnowałem dziś czas i pieniądze... pocałuj mnie...

zanim pochyliła się, by podać mu usta, omiotła go szybkim, badawczym spojrzeniem.

– powiedz mi to... – oderwał od niej usta po krótkiej chwili.

– co? – nie zrozumiała.

– powiedz, że nie pójdziesz do mnie – zaczął zbierać się do wyjścia.

– nie rozumiem...

wstał, uniósł jej dłoń do ust w geście pożegnania.

– po tym pocałunku nie musisz iść do mnie, bym wiedział, że zmarnowałem czas i pieniądze…

10

– „to jest chyba pełnia życia – pomyślał. – palić papierosa na rogu zwykłej ulicy, w pracujący dzień nie iść do roboty, tylko właśnie palić, wyjmować włosy z oczu, dłubać w zębach, gapić się na ludzi, być przez nich potrącanym i współczuć im niewyspania, spóźnienia, znienawidzenia tego dnia. w tej chwili czuć się innym, lepszym, doskonalszym, wybranym, wolnym, drwiącym z czasu".

był w tym wszystkim jakiś ukryty sens.

tak stać, palić i gapić się na ludzi, którzy ziemię wprowadzali w ruch swoimi pospiesznymi wędrówkami donikąd. nie mieć poczucia utraty chwil, zaniedbania rzeczy ważnych czy nieistotnych.

ludzie jak groszki rozsypane z dziurawej torebki, toczący się błędnie w każdy zakamarek świata. do pracy, samochodu, lekarza, sklepu, kochanki, kochanka, na pocztę, lotnisko, dworzec, do pralni, taksówki, banku, kiosku, knajpy czy apteki. rozmawiający przez komórki, mówiący do siebie, pytający o drogę, godzinę, ulicę, instytucję, człowieka, budynek, skrzyżowanie.

swoim jazgotem wypełniali dzień i odróżniali go od nocy. bo miasto nocą wygląda inaczej. trochę może bezpieczniej. milczące, czarne pudełka z punktami świateł zamiast okien. gdzieś w oddali kominy, umęczenie migające czerwienią. jazgot psa. ale to już inny jazgot.

II

często odwiedzał puste, niezamieszkane domy.

zapach kurzu, nieruchome zasłony, martwa kuchnia, brudne okna, zasyfione balkony.

robił sobie długie, odprężające kąpiele w anonimowych wannach, papierosy bez wyrzutu kiepował na podłogę. czytał spotykane, bezpańskie książki. ulubione strony wyrywał i zabierał ze sobą.

śniły mu się dawne kobiety.

czuł się zmęczony i odrealniony przez te sny.

czuł się pijany, choć od jakiegoś czasu nie pił dużo.

czuł się daleko od domu, gdziekolwiek on był.

ludzie na ulicach patrzyli na niego jak na bezdomnego, gdy włóczył się potargany, mrucząc do siebie i żując ołówek nad pomiętymi kartkami papieru.

myślał o dniu swoich urodzin.

podobno była to środa wieczór, podobno padało.

i jesień była podobna.

– drugi raz taki numer nie przejdzie – mruknął, myśląc o cykliczności życia i wpasowaniu się w nie jego ścieżek.

gdy skończył tę myśl, noc siedziała mu już na karku.

zimna. obca. milcząca.

jak kobieta.

a on bał się zimnych, obcych, milczących kobiet.

12

uwielbiał spojrzenia kobiety, którą znał jedynie z widzenia.

mieszkała gdzieś nieopodal.

spotykał ją, gdy spacerowała z psem, a on snuł swoje nocne monologi, siedząc na krawężniku.

po pewnym czasie zaczęła go poznawać i wtedy zaczęły się pojawiać te spojrzenia pełne troskliwej czułości. wkoło oczu migotały jej wtedy cienie drobniutkich zmarszczek, wszystko cichło, powietrze wygładzało się na tę chwilę. było coś matczynego w tym jej lekkim uśmiechu. coś, co go rozczulało i jednocześnie przywiązywało do tej kobiety. otulała go spojrzeniami, jak miękkim kocem. kołysała i dawała chwilowe ukojenie.

zawsze, gdy ją widział, miał ochotę wstać, otrzepać spodnie, podejść i odgarnąć jej z policzka włosy splątane od wieczornego wiatru.

momentami wierzył, że mogłaby dać mu sen zamiast seksu. podać kawę zamiast ust, otworzyć książkę, a nie rozkładać uda.

gdy go mijała i droga przecinała spojrzenia, odruchowo wędrował wzrokiem na jej pośladki. w myślach gryzł ją po udach.

nie chciał już snu, wołał o bezsenność; o jej jęk, krzyk i upojenie. o dłonie szarpiące jego włosy, pogryzione usta w przedpokoju i pospieszną ucieczkę przed świtem.

13

– zadziwiające... – myśl od wczesnego poranka urywała się za tym słowem.

to był ciężki dzień, wybudzony zbyt wcześnie.

noc nie zapowiadała się lepiej.

gdzieś za progiem mruczały wahania nastrojów, niepokój.

znał te dni płynnego wydobywania słów na papier, okupywane ciężkim przygnębieniem i kuszącym posmakiem alkoholu.

– zadziwiające... – zacisnął szczęki. – zadziwiające... zadziwiające... kurwa, zadziwiające...

jedyne, czego pragnął od jakiegoś czasu, to święty spokój, lodówka pełna mocnych płynów i spory zapas papierosów. chciał w samotności urżnąć się, by wyrzygać z siebie ten stan. spisać kieliszkami kolejną ścieżkę, w której zagubił się całkiem przypadkiem.

– to zadziwiające... ale co?

nie pamiętał.

nie pamiętał, co go tak zadziwiło.

14

– pieniądze są jak zaraza... – bawił się miedziakiem, turlając go po stole w przydrożnej knajpie. podstarzała, zaniedbana kelnerka z widoczną nadwagą właśnie podeszła do niego, żeby przyjąć zamówienie.

– niech pani o tym pomyśli – rzucił za kelnerką, gdy ta już odchodziła.

– o czym? – zatrzymała się w pół drogi i obrzuciła go zdziwionym spojrzeniem.

– o tym, że pieniądze to zaraza.

– mam nadzieję, że ma pan czym opłacić zamówienie – burknęła, wchodząc na zaplecze.

knajpa wydawała się równie smutna jak wszyscy jej klienci. barman był smutny, obsługa była smutna, nawet pies siedzący przy wejściu patrzył na każdego wchodzącego człowieka smutnym, zblazowanym wzrokiem.

za oknem wiosna siadała na wszystkim, budziło się życie, a w tym miejscu, tuż za szybą czuć było jakąś bolesną tragedię ludzi, którzy chcieliby być wszędzie, tylko nie tu, gdzie są. ten ciężki kontrast był jak tłuste plamy z frytek na poszarzałym parapecie – jak by się nie uważało, żeby go nie dotknąć, rękawy i tak były nim przesiąknięte i nie do doprania.

– jedna kawa – kelnerka postawiła przed nim kubek i zamierzała odejść.

– szukam pokoju na trochę – w jednej chwili postanowił zatrzymać się tu na jakiś czas. – znajdę gdzieś nocleg?

– szef ma pokoje na tyłach lokalu.

– drogie?

– tanie. płatne z góry – obrzuciła go podejrzliwym spojrzeniem.

– wszystko jest zawsze płatne z góry... – skrzywił się.

– kawa też – kelnerka podeszła bliżej i wyciągnęła znacząco rękę w jego kierunku.

– pieniądze są jak zaraza... – zapłacił za kubek płynu. – ciekawe, co by było droższe... gdybym chciał się z tobą przespać, czy gdybym poprosił, żebyś mnie zabiła, królowo?!

– czego pan ode mnie chce?! – odsunęła się od niego na bezpieczną odległość i ciężko było wyczuć, czy jest bardziej wściekła, czy przerażona.

– chciałbym poznać tę tajemnicę, która sprawia, że codziennie przychodzisz tu do roboty, lata mijają, a ciebie nie stać ani na lepsze ciuchy, ani na plany wyższe niż bar w tej zapomnianej przez boga spelunie. chciałbym po prostu wiedzieć, jak można tak żyć, gdy się wie, że niczego się nie ma i niczego się nie dostanie od życia, nigdy. chciałbym się tego nauczyć…

15

wyłączył telefon. połowę nocy miał już za plecami. na dworze padało, wiatr gwizdał między framugami okien.

– „suka" – pomyślał krótko o jesieni, której ziąb wrzynał mu się w nadgarstki.

ten dzień miał w sobie coś, co nadawało mu posmak niepokoju. w autobusie stanął na końcu, choć jedno miejsce było wolne. nie lubił siedzieć obok kogoś, kto wyglądał bardziej podejrzanie od niego.

wracając do domu późnym wieczorem, usłyszał na jednym z podwórek płacz niemowlęcia.

przystanął. pomyślał, że w takich czasach dziecko równie dobrze mogło płakać w domu co na śmietniku. płacz ucichł tak samo szybko, jak rozbrzmiał. poszedł dalej.

w mieszkaniu czuć było kwaśną woń wilgoci.

ściany pociemniały, sprawiając odpychające wrażenie mimo kilku świeczek, które porozstawiał po kątach.

chwilę wcześniej telefon od matki wyrwał go z wymodlonego, krótkiego snu.

– jadłeś obiad?

– tak – starał się ukryć gniew.

– co jadłeś?

– ziemniaki, ugotowałem ziemniaki.

– same?

– i kefir. jezu…

– zakręciłeś później gaz?

– tak. dobranoc… – wyłączył telefon.

sklął jesień i spróbował znowu zasnąć.

– kurwa! – wyskoczył po chwili z łóżka, ruszył do kuchni, żeby sprawdzić kurki.

wrócił do łóżka. otworzył wino, zapalił papierosa. zimny powiew od okna przywiał mu obraz kobiety, z którą kochał się ostatni raz. gdy szczytowała, jego dłonie zacisnęły się ciasną obręczą na jej szyi. patrzyła mu ufnie w oczy, dochodząc. przez myśl przemknęło mu wtedy, że z życiem i śmiercią jest jak z miłością i nienawiścią. pajęcza nić…

16

nie lubił ludzi, których częstotliwość wyrzucania z siebie słów była szybsza od ich myśli. męczyli go i sprawiali, że miał poczucie straty cennego czasu, który mógłby wykorzystać na tysiące innych rzeczy.

cenił tych, którzy potrafili w tym samym natężeniu co on pić i milczeć.

generalnie lubił ludzi, którzy nie bali się ciszy i dla których nie była ona obrożą, bezlitośnie zaciskającą się na gardle – duszącą, odbierającą tlen, blokującą systematyczne, spokojne oddechy i unieruchamiającą słowa, które bezmyślnym potokiem chciały wyrwać się z krtani w wygładzonym, milcząco falującym powietrzu.

lubił milczeć wśród ludzi.

celowo lub w zwykłym, ludzkim zmęczeniu rozmowami nieistotnymi, lekkimi pustością słów. obserwował paniczną, narastającą nerwowość rozmówców, którzy zderzali się z jego ciszą. milkł, a ich dłonie rozpoczynały drżącą wędrówkę po sobie, pociły się i szukały dogodnej pozycji do spoczynku, którego nie mogły znaleźć, i im dłużej to trwało, tym bardziej były komiczne i groteskowe.

nie zależało mu na ich spokoju.

dawno temu nauczył się, że nie ma wpływu na ciszę ludzi. na ich poszarpany oddech we śnie, przedwczesne pobudki, dreszcze na karku. na nich samych.

17

– bywam tu często, bo mam blisko do siebie i nie muszę z nikim rozmawiać, siedząc przy barze – skwitował spojrzenie barmana, w którym wyraźnie migotało pytanie: „czy ty musisz tu wiecznie przyłazić?!”.

– wódka? – usłyszał silenie się na uprzejmość.

– tak. podwójna.

usiadł na końcu baru, na wytartym, starym stołku, który dźwigał już różne dupy od lat niepoliczalnych.

– na koszt firmy… – napełniona szklaneczka podjechała mu pod sam podbródek. – a to od damy, która zapowiedziała się na 23.00 – barman przysunął do szklanki karteczkę pedantycznie złożoną na czworo.

zdziwiony rozłożył papier.

„ciekawość to dobry początek znajomości”.

spojrzał na zegarek, dochodziła 21.30. włożył kartkę do kieszeni płaszcza i zajął się wódką.

przy zbliżaniu się do 23.00 drzwi wejściowe skrzypiały coraz częściej. nie podnosił głowy znad kolejnych szklanek. było mu dobrze i ciepło. świat powoli zaczynał tracić swe bolesne, ostre kształty i krawędzie. rysy twarzy, jak czuła kochanka, wygładzała mu każda kolejna kropla na ustach.

w pewnej chwili poczuł w powietrzu słodkawy zapach seksu. to była pierwsza myśl: seks. aromat wibrujący między kochankami, którzy nie zdążyli się jeszcze dotknąć; pożerający się wzrokiem, pieszczący wyobrażeniami. powietrze naelektryzowało go po czubki palców obejmujących zimną szklankę z resztą wódki. uśmiechnął się pod nosem, oblizał wargi i spojrzał w kierunku drzwi.

szła powoli w jego stronę, w kącikach ust niosła zdawkowy uśmieszek. mogła mieć maksymalnie czterdzieści lat. zadbana, świadoma siebie kocica. była drugą kobietą, jaką spotkał w swoim życiu, która tak intensywnie emanowała seksem – jego głodem i jednocześnie przepełnieniem. intensywność tę podkreślał fakt, że doskonale zdawała sobie z tego sprawę. w połączeniu z nieprzeciętną urodą był to u kobiet jeden z najsilniejszych rodzajów broni i on doskonale o tym wiedział.

kiedy bez słowa zajęła stołek obok niego, wybiła 24.00.

– godzina duchów – zaśmiała się i zamówiła drinka. – dla mojego nowego znajomego jeszcze raz to samo, co pije.

– jeszcze się nie znamy... – mruknął.

– nie mów, że byś nie chciał – nawet na niego nie spojrzała.

zanurzył usta w alkoholu, nie przestając się jej przyglądać.

miała klasę, to nie podlegało dyskusji. od starannie dobranej fryzury, podkreślającej charakter właścicielki, poprzez wypielęgnowane dłonie z pięknymi, smukłymi palcami, w których nie można było dopatrzyć się nawet cienia zdenerwowania, po perfekcyjnie dobrany zapach perfum, wydobywający spod skóry kobiety wszystkie fantazje, jakim dawała upust każdej nocy.

– pij – podsunęła mu kolejną szklankę. – czeka nas długa noc i warto, byś oderwał się od życia na chwilę.

– nie lubię, gdy kobieta mi stawia...

– nie mów, że tego też byś nie chciał... – tym razem zahaczyła go lekko wzrokiem. – nie wyglądasz mi na pedała. dopij i chodź ze mną – odstawiła swoją szklankę i wstała.

w swoim życiu poznał już wystarczająco wiele kobiet, by doskonale zdawać sobie sprawę z tego, że w takich chwilach na pytania nie otrzymuje się odpowiedzi. jednym łykiem pokonał szkło, puścił je wolno na blat baru, zarzucił na ramię płaszcz i ruszył do wyjścia.

szedł za nią nocnymi ścieżkami, jakie odsłaniało przed nimi miasto. miał wrażenie, że znalazł się nagle w jakimś obcym, nowym miejscu, którego nie znał. powietrze przesiąknięte było zapachem rzeki, trzcin i mokrego piasku. wydało mu się, że słyszy wrzaski mew.

– umysł potrafi dawać i odbierać – rzuciła przez ramię, nie odwracając głowy. – możesz się zastanawiać, możesz wyobrażać. przyjąć do wiadomości wrażenie lub je kwestionować. tak trudno zdać się na instynkt? podobno pijesz, by nie myśleć. więc nie myśl.

przystanęła nagle. tak, że mało brakowało, a by na nią wpadł. odwróciła się powoli.

po raz pierwszy od spotkania w barze mógł wyraźnie zobaczyć jej twarz. bursztynowe tęczówki przecinała mocno zarysowana, bezkresna czerń źrenic. miała ostre rysy, które tego typu kobietom nadawały pewien rodzaj tajemniczego żaru. można się było przy nim ogrzać, można było się nim dotkliwie poparzyć.

patrzył na nią i zastanawiał się nad fascynacją, jaką budziła w nim ta kobieta. nic o niej nie wiedział i nie chciał nic wiedzieć. fizyczne pożądanie mieszało się w nim z zachłannością słów i obrazów, jakie czuł, że mogła mu dać.

– o czym? – chciała jego myśli.

– o tym, co się stanie za pięć minut.

– chodź… – wzięła go pod rękę i pokierowała w jedną z uliczek. – dziś zamiast seksu posmakujesz czegoś równie pożądanego…

– a jutro? – przerwał jej w pół zdania.

– po co chcesz wiedzieć, co będzie jutro, skoro nawet nie wiesz, co cię spotka za pięć minut?

– czy zdajesz sobie sprawę, jaką erotyczną aurę ma podawanie komuś jedzenia do ust? – pochyliła się do niego niebezpiecznie blisko, zniżając głos do szeptu. gorące powietrze tych słów połaskotało go zaczepnie po uchu. – równie dobrze mogłabym ci teraz szeptać, że mam na ciebie ochotę, tu i teraz.

– niemożliwa jesteś... – turlał po stoliku winogrono, rozdzielające ich przestrzenie.

– niemożliwa ci się wydaję, a to różnica... – wyplątała mu z palców owoc i powoli zgniotła go w dłoni.

tej nocy zabrała go do nieczynnej, małej, leciwej księgarni. spod wycieraczki wyjęła klucze i wprawnym ruchem oswobodziła drzwi z kłódek. otworzyła je lekkim pchnięciem i puściła go przodem.

gdy przestąpił próg, uderzył go zapach wanilii, poprzecinany orzeźwiającą nutą mięty. i coś jeszcze... znajoma nuta damskich perfum, która osnuwała kontury mebli w ciemnym pomieszczeniu. nie czuł tego zapachu od lat i w tym momencie drażniło go, że nie potrafił przypasować go ani do osoby, ani do czasu.

– nie rozpraszaj się... – nie zapalając światła, poprowadziła go do jedynego stolika.

usiadł ciężko na krześle, usiłując jednocześnie pokonać wzrokiem mrok. z ciemności zaczynały powoli wyłaniać się regały z książkami; ciężkie meble uginające się pod naporem słów co jakiś czas wydawały z siebie głuche mruknięcia. ze zdziwieniem szukał wzrokiem okna, chyba znów usłyszał mewy.

– nie możesz po prostu przyjąć i zaakceptować tego, co podają ci twoje zmysły? – wyłoniła się z mroku, niosąc butelkę wina i misę przepełnioną bukietami winogron.

nie zdziwił się specjalnie, gdy kazała karmić się owocami. po tym, jak odsłoniła przed nim erotyzm tej chwili, nie mógł skupić się na niczym innym poza myślą, że chciałby dotknąć jej wilgotnych od soku ust. zastanawiał się, czy byłyby gorące jak jej słowa, czy chłodne od miąższu.

– widzisz... – dłoń z rozgniecionym chwilę wcześniej owocem położyła mu na karku. – wystarczyło słowo, mały bodziec, by pchnąć wyobrażenia w odpowiednim kierunku.

poczuł, jak lepki sok zaczyna ściekać mu po szyi.

– samymi skojarzeniami słów mogłabym cię teraz doprowadzić do orgazmu – roześmiała się lekko i zatoczyła ręką łuk w powietrzu, wskazując na otaczające ich książki. – ciało jest jedynie okładką dla treści, mój drogi. niczym więcej, niczym mniej. czy to wystarczy, by zostać zaspokojonym?

18

miał północ za plecami, więc nie było wcale tak późno na cokolwiek.

kołnierz płaszcza uporczywie pachniał jej perfumami, które starannie zostawiała na nim kilka godzin wcześniej. gdy nie patrzył, ocierała się o jego okrycie rzucone na oparcie krzesła. z upodobaniem wcierała w materiał swoją woń – perfumy, które doprowadzały go do szaleństwa. zapach dojrzałej, seksownej kobiety, świadomej swego oddziaływania na każdy milimetr jego duszy.

jej wzrok budził go w środku nocy. gorący, zachłanny i głodny.

pamiętał jej oddech, gdy kochali się w pierwszej napotkanej klatce schodowej, pospiesznie i dziko.

była kobietą spotkaną przypadkowo. a jednak o niej myślał. gorąco, zachłannie i głodno.

kiedy spotkali się po latach – równie przypadkowo jak za pierwszym razem, zobaczył w niej zmęczenie czasem, który ich rozdzielił. silnym głosem starała się przykryć wszelkie zniechęcenia i rozczarowania, które zdążyły osiąść jej na ramionach. była równie piękna, epatująca błyskotliwością i magią, jak dawniej.

poczuł silny skurcz w podbrzuszu.

– gdybym tylko wiedział jak, zerżnąłbym twój mózg na wszelkie możliwe sposoby, kochanie... – powitał ją całkiem zdawkowo, całując dłoń uzbrojoną w czerwień.

19

kiedy pił i myślał o niej, piło mu się jeszcze lepiej.

zanim pierwszy raz wgryzł się w jej nadgarstek podczas degustacji tequili, przez wiele tygodni gapił się na jej pośladki przylepione do stołka przy barze. wystarczyło, żeby się lekko pochylił i przyciągnął ją do siebie, ale on tylko siedział ze wzrokiem zawieszonym na jej biodrach i zastanawiał się, jak by smakowała tequila z tych ud skrępowanych ciasnym materiałem spodni.

alkohol w ustach, sól na nadgarstku, cytryna w ustach.

pomyślał, że w takim wydaniu jego alkoholizm nabrałby znamion sztuki.

mieszała łzy z kolejnymi lampkami wina, otulając ramiona wiecznie ćmiącą się cygaretką. jej młody wygląd niewygodnie kontrastował z dekadentyzmem wnętrza lokalu. nie pasował do niej ten bar, nie pasowała cygaretka. no i te łzy, lśniące w kącikach oczu ciemną kroplą taniego tuszu do rzęs.

gdyby nie te magnetyczne uda, po ojcowsku otarłby jej łzy i odprowadził do domu.

20

pił i żył. gdyby nie pił, pewnie też by żył, ale kto zniesie na trzeźwo chropowatość mijających dni i wszechobecną niedoskonałość, wbijającą się drzazgami pod skórę?

lubił w swych legowiskach słuchać muzyki poważnej, lubił też sentymentalny blues, który przypominał mu czasy, gdy miał tak samo mało lat co problemów.

– bądź sobą – mawiała matka.

choć miał już wieczność na karku, nie wiedział nadal, czy była to kpina, czy naiwna wiara starej kobiety pokonanej przez życie. cieszył się, że nie dożyła momentu, w którym teraz był. tych dni i nocy, powykręcanych jak konary wiekowego drzewa. co by powiedziała mu dzisiaj? czy nadal chciałaby, żeby nie był nikim innym jak sobą samym – wiecznym tułaczem, domownikiem podupadłych knajp i wszelkich spelun każdego napotkanego miasta?

– jestem sobą, mamo – uniósł butelkę w toaście.

za brudną szybą motelu wstawał już świt. na pobliskiej drodze narastał szum aut. do obskurnego pokoju zaczął wdzierać się rześki zapach poranka. na parkingu trzasnęły drzwiczki samochodu. skrzypienie żwiru od kilku kroków zamieniło się w stukot szpilek na chodniku. drgnął w fotelu, lekko odchylił zasłonę i wyjrzał na zewnątrz.

– wyborne... – mruknął w stronę właścicielki pośladków, które minęły go na grubość szkła.

pociągnął spory łyk z butelki kończącej noc i odstawił ją na podłogę. zapalił papierosa i wyszedł do recepcji.

– to za najbliższy tydzień – na kontuar rzucił właścicielowi garść banknotów.

– cieszy nas, że będziemy mogli pana jeszcze gościć... – wyuczona, beznamiętna formułka doleciała do niego przy drzwiach.

– jak dobrze pójdzie, to się tu zapiję i zostanę z wami na zawsze – burknął. – niech sprzątaczka omija mój pokój przez ten czas. nie znalazłaby tam nic, co mogłoby ją uszczęśliwić.

odwrócił się w drzwiach.

– ta kobieta, która teraz przyjechała… długo zostanie?

– trzy dni – właściciel obrzucił go badawczym spojrzeniem. – czemu pan pyta?

– bo jeśli jest sama, chciałbym zaproponować jej dobre rżnięcie albo kupić baterie do wibratora, skoro to tak pana interesuje…

21

– skąd bierzesz te wszystkie książki? – chodziła po jego czterech kątach, w których starał się przykryć piętno motelu jakimikolwiek próbami udomowienia.

– same mnie znajdują, nie muszę się za nimi rozglądać – nalał wódki do szklanek, podał jej jedną.

– jak kobiety? – mrugnęła do niego kokieteryjnie, odbierając szkło.

– jak kobiety…

– czyli… że to nie ty zaczepiłeś mnie w barze rozmową o sąsiedzkim zacieśnianiu więzi? – roześmiała się perliście i zamoczyła usta w alkoholu.

– twoje pośladki mnie znalazły. zaraz po tym, jak zawołał mnie stukot szpilek.

nie zareagowała na te słowa.

powoli wędrowała po jego małej, prywatnej świątyni. dotykała sprzętów, przekładała książki, zaglądała w notatki rozrzucone na fotelu.

– piszesz? – pochyliła się nad jedną z nich.

wybaczył jej tę wścibskość tylko przez wzgląd na rewelacyjną linię bioder, które – przy tym jej pochyleniu – drżały jak napięty łuk bogini Anat.

– nie... – odruchowo oblizał usta. – jedynie składam słowa w różne historie.

– mhmmm... to takie proste?

– wiesz... – stanął tuż za nią i zaczął lekko wodzić palcem po jej łopatkach. – historie są jak kobiety, też same przychodzą. pojawia się jedno zdanie... pierwsze, ostatnie czy środkowe i tak się wszystko zaczyna...

odwróciła się powoli do niego. stali teraz tak blisko siebie, że czuł na twarzy jej ciepły oddech.

– jakie zdanie przyszło do ciebie dla tej historii? – zmrużyła oczy.

– „kto by się spodziewał, że kolejny ból, po tym dopiero co ukojonym, będzie o piekło silniejszy?!”.

22

przez chwilę miał wyłączność na jej spojrzenie.

stali na jednym z najstarszych mostów miasta, wiatr targał poły ich płaszczy. pod nimi toń ciemnej rzeki mrukliwie wiodła na pokuszenie samobójców i monety na wieczne powroty.

– o czym? – zaczepił ją mruknięciem.

– pieprzyłeś mnie ostatnio, a wolałabym kochanie… – nie odrywała oczu od wody. – to nie takie trudne: wyczuwać nastroje kobiet…

schował ręce w kieszeniach. były zimne, jakby pozbawione życia, tętna i czucia.

– mogłaś powiedzieć…

– mogłeś wyczuć…

taki zarzut odebrał mu prawo do riposty.

wspominała te ułamki wspólnych chwil, jak szkła, które na plaży kaleczą stopy.

– tak cię kocham, że aż momentami nienawidzę… – szepnęła.

roześmiał się bezgłośnie.

– wiesz… i ty, i ja jesteśmy jedynie wytworem naszych wyobrażeń. widzisz to, co chciałabyś zobaczyć, co daje ci szczęście, spokój i poczucie bezpieczeństwa.

– czy zawsze musisz układać słowa w takie mądre ciągi? – wydawała się znudzona.

– nie muszę… – ziewnął, opierając się o zimną barierkę. – równie dobrze mogę wziąć cię do domu, do łóżka.

– jak to się dzieje, że zawsze wszystko kończy się na łóżku? – warknęła.

– czy poczujesz się lepiej, jeśli uzgodnimy, że od łóżka wszystko się zaczyna?

dwie godziny później splątali noc z pościelą, między jękami snując westchnienia. starał się być czuły i delikatny, i nie przychodziło mu to z trudnością.

jej ciało tej nocy było bardziej aksamitne niż kiedykolwiek. gdy dotykał jej skóry, jego dłonie zapadały się w nią tak miękko, jakby gładził najdelikatniejszy z materiałów. tuliła się tak mocno, że momentami brakowało mu tchu.

gdy nagle usłyszał: „pieprz mnie", wstrzymał oddech, biegnąc za echem tych słów.

– chyba nie sądzisz, że jestem grzeczną dziewczynką? – roześmiała się, widząc jego minę.

– kobiety…

– tak… kobiety… – przyciągnęła go do siebie władczym gestem. – najczęściej, mimo łez, i tak biorą sobie to, czego chcą…

23

przy swojej szorstkości i sile był zadziwiająco czuły i delikatny dla kobiet, z którymi się spotykał. dotykał ich, jak zamyka się motyle w dłoni, nie chcąc zrobić im krzywdy.

trwał w zapatrzeniu na ich piękno.

każda była inna, każda równie mocno wzbudzała w nim poczucie kruchości, które wygładzało mu dłonie.

mógł je rżnąć, mógł kochać się delikatnie i cicho; mógł ich wcale seksualnie nie doświadczać, a jednak zawsze u schyłku spotkania dawał im wtulać się miękko w ramiona. lubił to. do tego stopnia, że czuł ból, jeśli kobieta po prostu ubierała się i wychodziła.

siedział teraz w swoim pokoju, zasłony odcinały go od popołudniowego światła i życia na ulicy przed motelem.

patrzył na krzywo tlącego się w popielniczce papierosa. uchylił lekko okno i dał mu się wyrównać w ciepłym przeciągu.

brakowało mu dziś pocałunków.

nie seksu, zmiętej pościeli pachnącej zmęczonymi od pieszczot ciałami czy tego elektryzującego napięcia w powietrzu, które towarzyszy silnemu podnieceniu, iskrzącemu między dwojgiem ludzi.

pocałunków.

delikatnych i czułych, zasypujących powieki, skronie i szyję. gorących i zwiewnych.

– chyba się starzeję... – mruknął do siebie.

myślał o kobiecie, którą spotkał ostatnio na dworcu. zauważył ją z daleka, burza loków falowała zmysłowo w takt jej kroków; szpilki wystukiwały kojący rytm na twardym peronie. minęła go lekko, nie rozpoznając. lata temu na chwilę połączyła ich bliskość w jakimś bezimiennym miasteczku na północy kraju. nie wskoczyła mu do łóżka, nie zerwała z siebie ubrania, nie pchnęła go władczo na fotel. rozmawiali w hotelowym barze, długo i szeptem – jakby bojąc się, że słowa, jakie przeplatali, mogłyby stać się też własnością innych. mijały godziny, a oni po prostu wymieniali się dotykaniem świata, dzielili spostrzeżenia jak ostatnie kromki chleba, maczając je we wspólnym kieliszku wina.

gdy do drzwi pukał świt, bez wstydu i strachu poszła za nim do pokoju. wszystko to było tak naturalne, jakby nie było innej, słuszniejszej decyzji ani w tym dniu, ani w żadnym innym. jak najbliżsi sobie ludzie wzięli wspólny prysznic, delikatnie namydlając się wzajemnie, zapamiętując każdy milimetr skóry. dotykali się jak ludzie, którzy jednocześnie witają i żegnają swoją nagość. godzinę później po prostu zamknął ramionami wkoło niej horyzonty snów.

24

była córką właściciela motelu, w którym planował się zatrzymać na kilka dni, a został w nim prawie dwa tygodnie, właśnie przez jej uda i siłę, z jaką zaciskała je na jego żebrach, gdy kochali się żarliwie u niej w domu, pod nieobecność ojca. miała dwadzieścia dwa lata i wielką ochotę na życie. sycił się tą jej młodością, tym głodem wrażeń i prostotą wiary w przyszłość.

być może ich znajomość skończyłaby się szybciej, jednak zawsze gdy już od niej odchodził, ona nie robiła najmniejszego gestu, by został czy wrócił. do dziś nie wiedział, czy było jej to obojętne, czy ból paraliżował ją tak bardzo. wytrzymywał kilka dni i sam się do niej znów odzywał. trwała chwilę w ciszy i oddaleniu od jego obecności, gestów i słów, a później wszystko wracało do normy. sam nie potrafił sobie wytłumaczyć, dlaczego wciąż wracał. dla niej układał proste wyjaśnienia.

w pewnym momencie jej ciało nie stanowiło już dla niego wyzwania, było tak samo doskonale piękne, co przewidywalne. znał je na pamięć. jej umysł był jeszcze zbyt czysty od życia, więc nie znał ścieżek, którymi ich myśli mogłyby powędrować wspólnie choćby przez kawałek tej drogi.

– czy każdy facet jest taki? – zapytała, gdy w końcu się wyprowadzał.

– nie – sam dobrze nie wiedział, czy mówi prawdę. – nie każdy.

przytuliła się mocno do niego.

– będę tęskniła…

– tylko przez chwilę, ale to zbawienne.

ucieszył się, gdy dwa lata później mijał ten motel i zobaczył ją, jak wsiada do samochodu w zaawansowanej ciąży, a jakiś młody goguś otwiera jej drzwi i pomaga usadowić się na siedzeniu obok kierowcy.

– „co mają w sobie ludzie, którym czas potrafi leczyć rany?” – pomyślał.

25

rozczulały go kobiety delikatne i ciche.

często patrzył na nie i widział dym.

wsłuchiwał się w iluzoryczny szmer ich kroków bezszelestnych; wyłapywał ukradkowe spojrzenia, którymi dotykały go, powstrzymując zachłanność.

kiedy jak burza wkraczał w ich życie, głodne wgryzały się mu w usta, spijały z nich cierpkość oddechu.

jego szorstkość kontrastowała z aurą ich dłoni.

momentalnie łagodniał, ton głosu stawał się spokojniejszy i niższy.

bał się, że wystraszy je sobą i uciekną.

a nie chciał tego.

przynosiły mu chwilowy spokój, zatrzymywały na ułamek sekundy.

doskonale pamiętał, jak godzinami siedział na ławce w parku i w półuśmiechu patrzył na jedną z nich. wyobrażał sobie aksamit jej palców na swoim karku, pieszczotę prawie matczyną, pełną subtelności i gracji.

erotyzm mieszał się z ciepłem i ukojeniem.

nie umiał po prostu wstać i iść dalej.

nie umiał się nie dosiąść i nie zacząć rozmowy.

kiedy po raz pierwszy poczuł jej dotyk, zamarł na moment zdziwiony jej ufnością. tuliła się tak słodko, a on panicznie myślał jedynie o tym, że wyczuje, jak drżą mu ramiona. jej młodość ocierała się o jego stary płaszcz jak białe kwiaty jabłoni.

pomyślał wtedy, że pasuje do tego świata jak pięść do nosa. że takie kobiety powinny wieść spokojne, szczęśliwe życie pełne światła i herbaty w dzbanku na lnianym obrusie. że po tylu wędrówkach jego oczy bywają na tyle zimne i stalowe, że dają mu ciche przyzwolenie na picie do świtu i samotne szlajanie się po nocach.

ale te kobiety, ta kobieta na ławce w parku – żyły w nim ciągle obrazami, których intensywności zrozumieć nie potrafił.

26

lubił to małe miasteczko oparte na wiekowym kościele, trzech knajpach ze zdartą podłogą i upadającym hoteliku przy wylotówce w świat. właścicielka uparcie twierdziła, że ma sto pięćdziesiąt lat i młodnieje z upływem czasu. schody zawsze tak samo trzeszczały w takt kroków, gdy szedł do swojego pokoju na drugim piętrze. dostawał zawsze to samo okno z panoramą wypalonych słońcem pól poprzecinanych czerwienią maków. lubił słuchać ich ciszy, lubił kolor powietrza o świcie i zapach, w jakim tonęło miasteczko, gdy przychodziły dni na palenie w piecach z nadejściem zmierzchu. czuł się tu spokojny, choć wiedział, że dłuższy pobyt byłby nie do zniesienia. wystarczało kilka dni w jednym miejscu, by czuł ten charakterystyczny ucisk wkoło serca. sny znów stawały się poszarpane i niespokojne.

z zazdrością czasem patrzył w okna cichych domów, gdzie życie toczyło się tak, jak powinno się toczyć. mąż, żona, dzieci, pies pod stołem przy kolacji.

znał na pamięć wystudiowane stereotypy zachowań. poranne pocałunki przed wyjściem do pracy, południe przynoszące aromaty szykowanych obiadów, spacery z psem; wieczorne, ciche rozmowy przy kolacji, śmiech czy płacz dziecka przed snem. był to dla niego magiczny zestaw rytuałów, których tajników nigdy nie było dane mu zgłębić. mógł się ich nauczyć, nie umiałby ich poczuć.

– męczysz się – usłyszał lata temu od kobiety, którą powinien był poślubić choćby dlatego, że miała równie dzikie oczy jak on sam. – usilnie starasz się zbudować dom, z jednoczesnym poczuciem, że budujesz dla siebie więzienie.

odstawił szklankę i spojrzał na nią przeciągle. dokładnie pamiętał, kiedy ją poznał. spisywał w sobie każdy ten dzień wspólnie spędzony, pełen poprawności we wzajemnych relacjach. przyszedł do niej kiedyś, bo tego nie oczekiwała. został, bo o to nie prosiła. i teraz ta mądra kobieta w najdelikatniejszy ze sposobów dawała mu do zrozumienia, że rozumie bezsensowność budowania wspólnego życia.

– co mam zrobić? – nie odrywał od niej wzroku.

– idź – w tym krótkim słowie było najczystsze z pożegnań, jakiego kiedykolwiek doświadczył.

dziś znów siedział w znajomym, starym pokoju, który pachniał kurzem. wynajęty na trzy dni, trzy noce, kilka snów i listów. nie zabrał tu ze sobą żadnych książek, mądrych słów.

mała lampka na pustym stole bladym światłem obejmowała najbliższy kąt. pusta szafa w milczeniu rozkładała szeroko ramiona drzwi, ofiarując swą pustkę.

nie miał ze sobą ani walizki, ani alkoholu.

kilka prywatnych myśli czekało w kieszeniach pomiętego płaszcza.

– „porzuciłem książki, notatniki i przetarte ścieżki mądrych kroków. wszedłem w siebie, by siebie odnaleźć...” – zamknął oczy, gdy usłyszał wiatr w śpiących, milczących makach.

27

dopiero po wielu latach zrozumiał, jak silna była ta krucha kobieta w swej milczącej miłości.
znali się od lat, spotykali co jakiś czas.
miał dla niej tak wiele czystego szacunku, że nigdy nie zaproponował łóżka, choć miał ku temu wiele okazji.
lubił na nią patrzeć, cholernie działała na niego jej zwiewność i pełnia kobiecości emanująca z oczu, a jednak nic go tak nie podniecało jak jej umysł pełen tajemnic.
czuł jej miłość o każdej porze dnia i nocy, choć mogła nie odzywać się miesiącami.
kiedy ich ścieżki krzyżowały się na różnych etapach życia, na kilka chwil, na moment, na wymienienie znaczących spojrzeń – jedyne, czego od niego chciała, to ciepło i obecność. stuprocentowa obecność, wyłącznie dla niej. i on dawał ją całym sobą, ze szczerą radością.
na swój dziwny sposób kochał tę kobietę.
po latach uświadomił sobie również, że przez ten cały czas nie wyobrażał sobie, by mogło

zabraknąć tego, w jaki sposób ją czuł; tych jej ciepłych myśli, cichej miłości słanej z drugiego końca świata.

nie czuł się nią osaczony, zniewolony czy zobowiązany do czegokolwiek.

nie bał się.

może dlatego, że była tak daleko.

a może to jej siła dawała mu spokojny sen i pewność jutra.

28

dotknął jej niechcący na skrzyżowaniu regałów.

w jednej z tych cichych, opustoszałych i zapomnianych księgarń.

zabłądził tu całkiem przypadkowo, przegoniony jedną z wiosennych burz. wskoczył w pierwszą z napotkanych bram, gdy strugi deszczu zaczęły spływać mu po wyziębionych łopatkach. miał ochotę na alkohol, nie na książki.

wszedł tam, bo silny wiatr wpychał krople pod zadaszenie kamienicy i zaczynały gryźć go po butach. gdy przekroczył próg, poczuł zapach stęsknionego, milczącego papieru. i jaśmin. romans tych aromatów rozszerzył mu źrenice.

między regałami powietrze stało nieruchomo, jak ktoś zatopiony w sobie, w gwarze ruchliwej ulicy. nerwowe i podejrzliwe spojrzenie sprzedawczyni omiotło go lekceważąco. był zły, zziębnięty i spragniony zadymionego, dekadenckiego lokalu, gdzie wystarczy lekko kiwnąć na barmana, by podał absynt.

– stara kurwa – przemielił w zębach sztuczny uśmiech dla kobiety za kasą i wszedł w najbliższą alejkę książek, żeby tylko strącić z ramienia jej szyderczy wzrok.

zobaczył ją gdzieś między Nabokovem a Nietzschem.

odruchowo spojrzał niżej.

jej talia i pośladki bujały się słodko od Thoreau do Tołstoja. czytała coś, pochylona lekko i nieobecna nad książką, której tytułu nie mógł dostrzec, stojąc z drugiej strony regału.

„ten świat to tylko płótno malarskie dla naszej wyobraźni... wszystkie rzeczy są takie, jaki jestem ja... nasze położenie odpowiada naszym oczekiwaniom i pragnieniom naszej natury" – pomyślał, zakręcając w alejkę, w której stała.

czytała Byrona.

gdzieś między wersami igrała wyobraźnią ze splecionymi w obrazy słowami. pochyloną nad książką twarz zasłaniały zsuwające się z ramion włosy. jeden z kosmyków delikatnie otarł się o jego ramię. miał wrażenie, że poczuł ten dotyk przez gruby materiał okrycia.

w sile jej zatopienia się w słowach było coś magicznego, co kusiło, by spojrzeć jej w oczy. minął ją o kilka milimetrów, wydając się sobie niewidzialnym przez tę chwilę.

gdy wychodził w deszcz, stała tam nadal. w tej samej magii, z tą samą książką.

uśmiechnął się lekko na myśl, że nie znając blasku jej oczu, będzie mógł widzieć teraz tę nieznajomą w każdej kobiecie, którą minie na ulicy.

część
II

I

jeśli mogło być tak, że wstawił się kilkoma łykami jednego piwa, to wtedy właśnie tak się stało.

był wyspany, spokojny i wewnętrznie wygładzony.

milcząco zerkał na kobietę krzątającą się po kuchni.

wdzięcznie to robiła.

przyszła do niego po wieczornym prysznicu, z ramionami utkanymi z kropel stygnącej wody. była taka ponętna i jednocześnie niewinnie piękna. zachwycał go ten dualizm.

– „mógłbym kochać się z nią do świtu – pomyślał. – mógłbym wchodzić w nią brutalnie, jak lubi, i czuć, jak kaleczy mi plecy paznokciami".

a mimo to pragnął jedynie przygarnąć Ją do siebie i dać się wtulić Jej ustom, by zasnęła słodko i spokojnie. po tych wszystkich kobietach, z którymi bezmyślnie lądował w łóżku – to ciche, wspólne objęcie nocy wydawało się diamentem w stercie węgla.

– o czym myślisz? – zauważyła, że się Jej przygląda.

– o twoich udach… – skłamał.

znał kobiety na tyle, by wiedzieć, że przedkładanie pożądania ich psychiki i ciepła nad fizyczność jest dla nich niepojęte i wywołuje niepotrzebne kompleksy.

2

– podejdź... – zaprosił Ją gestem. – usiądź przy oknie.

patrzył na Nią, jak patrzy się na drżącą taflę wody. po gładkiej powierzchni co chwilę przebiegały dreszcze. pod skórą miała wiatr, jakiego nie miewa się na co dzień.

– to absurdalne, co powiem, ale nie bój się... rozluźnij... – podał Jej kieliszek wina.

uśmiechnęła się lekko, dotykając szkłem ust.

– tak, to absurdalne...

– dziś nauczę się topografii twoich ramion – chwycił za węgiel i stanął przy sztalugach. – szlaku od zagłębienia za płatkiem ucha, poprzez napiętą skórę szyi z pulsującą ścieżką tętnicy, po dolinę obojczyka.

wygodnie rozpłynęła się na fotelu.

– wino ma mi pomóc się rozluźnić? – przechyliła przekornie głowę.

– wino, moja pani... – udał mentorski ton – ma ci przymknąć powieki, wzmóc dreszcze i wydobyć cienie w tych miejscach, gdzie najbardziej brakuje ci pocałunków…

3

w ulubionych, starych ogrodniczkach sadziła kwiaty w ogrodzie. słońce bezwstydnie biegało Jej po plecach, całując łopatki. brudną od ziemi dłonią otarła czoło, zostawiając na nim ciemną smugę. słodka była, tak kucając w gąszczu roślin, rozmawiając z nimi, śmiejąc się do słoneczników bujających się na wietrze przy płocie.

stał oparty ramieniem o słup werandy i przyglądał się Jej z uśmiechem.

w kuchni czajnik szykował wodę do wrzenia.

palił papierosa i bawił się obrączką zawieszoną na szyi. chłód łańcuszka miło drażnił mu kark.

czajnik zaczął wołać o uwagę.

wszedł do domu. idąc do kuchni, ostrożnie mijał porozrzucane na podłodze kolorowe doniczki i skrzynie z sadzonkami. mieniły się tysiącem kolorów.

wybrał dwa kubki pasujące do tego dnia, nasypał kawy, z szafki wyjął cynamon, z lodówki mleko, sięgnął po cukiernicę. po chwili zapach kawy zamigotał na parterze domu i rozbiegł się po wszystkich zakamarkach.

wyniósł kubki na werandę i postawił na balustradzie.

– Kochanie... jakie posadzić pod oknami? malwy, stokrotki, bratki czy coś innego? – zawołała, nie przerywając pracy.

zaśmiał się głośno.

zeskoczył ze schodów, podbiegł do Niej, pochylił się i dał gorącego buziaka w kark.

– te wysokie, wiesz... takie jakby pękate trochę, tyczkowate, co mają różne kolory i takie duże kwiaty... – wykazał się doskonałą znajomością tematu.

– malwy – roześmiała się, po raz pierwszy do dłuższej chwili przerywając sadzenie. odwróciła głowę i podała mu usta. – mam ochotę na kawę... – wymruczała, gryząc go w wargę.

bez słowa wziął Ją na ręce, zaniósł na werandę, posadził w fotelu i podał kubek.

4

patrzył na Nią w milczeniu i obserwował, jak przed lustrem usiłuje zawładnąć niesfornymi lokami. oglądała się uważnie. zauważył, że chwilami pochmurnieje.

– chodź tu – nie czekając, aż podejdzie, przygarnął Ją do siebie i posadził na kolanach. – zostaw włosy w spokoju, nie wiąż ich. niech lśnią i konkurują ze słońcem. są idealne, a perfekcji się nie poprawia. to grzech, moja panno.

odsunął Jej z twarzy kosmyk, opadający aż do ust.

– jesteś młoda i piękna. ciesz się tym. przyjmij do wiadomości, że każdy człowiek ma w sobie pierwiastek doskonałości, który z wiekiem zmienia jedynie kształty. ciesz się nim i nie marudź, że chciałabyś czegoś innego. popatrz… – odgarnął Jej włosy z ramion i szyi. – twoja skóra jest gładka i lśniąca. kobieta starzeje się właśnie od tego miejsca. następnie czas osiada na dłoniach. teraz to miejsce jest doskonałe i nie zwracasz na nie uwagi. ja je widzę. widzę, jak płynnie zsuwa się po nim światło. tobie przeszkadzają kręcone włosy, których niesforność wybija cię czasem z rytmu dnia. zamiast z nimi walczyć, podziwiaj ich kolor. kiedy znajdziesz pierwszy siwy włos, dzisiejszy problem stanie się dla ciebie czymś nieistotnym. jeśli o niego zadbasz, pierwiastek doskonałości przybierze na sile i wejdzie ci w oczy.

puścił Ją wolno.

„chciałbym móc ją oglądać, gdy będzie miała te czterdzieści, pięćdziesiąt lat – pomyślał. – chciałbym ją widzieć przez ten cały czas. rejestrować zmiany zapachu skóry, jej koloru i gładkości; być świadkiem pierwszych zmarszczek w kącikach oczu i miękkiego obniżania się tonu głosu. chciałbym być obok, gdy zacznie widzieć siebie piękną pod tym jej pięknym ciałem; doświadczać, jak wypełnia się jej wzrok i staje się dojrzale głęboki”.

5

wieczorny chłód zakradał się powoli do otwartych jeszcze okien.

letnie powietrze rozrzedziło się w zmroku i bezszelestnie wchodziło pod skórę.

zszedł na dół z biblioteki i po kolei zaczął zamykać wszystkie okiennice, przygaszał światła.

ogrodem sen już kołysał.

przed werandą skrzynki z owocami czekały na ulokowanie w piwnicy.

poczuł w powietrzu zapach przyszłych kompotów.

dom zamilkł i oddychał blaskiem kominka.

siedziała przy nim, owinięta ciepłym szlafrokiem.

w dłoni kubek kakao, na kolanach książka.

mokre od kąpieli włosy rozsypały się lekkimi lokami na welurowym oparciu fotela.

gdy tak chodził od okna do okna, podłoga trzeszczała delikatnie od jego kroków. a Ona słuchała tych dźwięków z zamkniętymi oczami, z tym kubkiem kakao w dłoni; z lekkim, kocim uśmiechem. czekała.

kiedy wieczór stał się prywatny i wszystkie okna odgrodziły ich od nocy, dorzucił drew do ognia, usiadł u Jej stóp, a Ona otworzyła książkę i zaczęła czytać.

uwielbiał te ich wszystkie małe misteria – za dnia i wieczorami – gdy odkładali czas na bok, jak zwinięty kłębek włóczki.

6

snuł się po domu wiedziony zapachem lawendy. przykryła nim swoje ciało przed spacerem w sen. wędrowała teraz pod zamkniętymi powiekami, uśmiechając się delikatnie, jakby wyczuwała podskórnie jego opiekuńczą obecność.

– „chciałbym wytatuować sobie te obrazy po wewnętrznej stronie powiek" – myślami dotykał Jej sukienki, beztrosko porzuconej na podłodze. – mógłbym się modlić do jej rzęs; skatalogować niematerialne zdjęcia jej łez, orgazmów i śmiechu.

przysiadł na brzegu łóżka i delikatnie pociągnął róg prześcieradła, którym była przykryta. spała nago. zapach lawendy bezszelestnie rozsiał się po pokoju.

– masz mapę oddechów spokojną jak małe dziecko – wyszeptał, wstając.

szedł alejką, kolejnymi krokami zdejmując z siebie rosnącą panikę przed przywiązaniem. był świadom tego, że im dalej odchodził, tym bardziej chciał wrócić.

północ obróciła już nieboskłon, gdy stanął znów przed drzwiami.

trząsł się, dłonie miał zimne.

bał się poruszyć, by nie spłoszyć ciszy oplatającej wszystkie kąty po drugiej stronie klamki.

gdy w końcu wszedł do środka, siedziała wybudzona na łóżku.

– nie było cię… – w Jej głosie wyczuwało się płacz.

– już jestem.

– nie było cię, gdy otworzyłam oczy… zawsze, gdy budzę się i ciebie nie ma, pojawia się strach, że już nie wrócisz…

– za każdym razem, gdy wychodzę i po prostu idę, zastanawiam się, o czym śnisz, i myślę, że droga zawsze zawraca do ciebie. nawet w największym poczuciu wolności…

7

– uchwyć chwilę…

minęły lata świetlne, odkąd pochylał się nad Jej ramieniem, gdy siedziała w centrum miasta, na krawężniku, z ołówkiem w dłoni. pachniała świeżością wiatru, przetykanego ciepłem słońca. w otwartym na kolanach szkicowniku powstawały krawędzie budynków, zarysy ludzi przecinających ulice; cienie mijającego czasu, które rozlewały się na bruku.

– rozmyj świat… – szeptał. – skup się na ludziach, na ich mimice, na gestach. wyobraź sobie, że nie ma boga, nie ma dogmatów. wyobraź sobie, jacy byliby ci mijający cię ludzie, gdyby wiedzieli, że za dobro nie ma nagrody; że za zło nie czeka ich kara. pokaż, co mieliby w oczach, co wypisane na twarzach, jacy byliby dla siebie…

– czy taki właśnie jest świat? – spojrzała mu w oczy w taki sposób, że zamarł. – czy tak?

8

kiedyś patrzył, jak układa bukiety w wazonach. pomyślał wtedy, że choć tak samo kocha kwiaty, nie jest panią Dalloway, wydającą przyjęcia, żeby ukryć ciszę.

wtedy pierwszy raz pomyślał o tym, że chciałby mieć z Nią dziecko.

gdyby urodziła mu dziewczynkę, byłaby ona pomnożeniem piękna Matki. może nawet miałaby tak samo niesfornie kręcące się loki nad czołem, po których biega wiatr.

gdyby urodziła chłopca, miałby kolor Jej oczu. czyste odbicie letniego nieba, otulające źrenice.

– kotku, dzwoniłeś w sprawie kupna tego domu, który ostatnio oglądaliśmy na spacerze? – spytała dziś rano.

i choć nie było ich stać ani na ten dom, ani nawet na drzewa z jego ogrodu, to pytanie – podyktowane czystą ciekawością – zabrzmiało w Jej ustach jak najczulsze „kocham cię”...

wiedział, że właściwy dom odnajdzie ich kiedyś. byli cierpliwi.

9

słodko-gorzki posmak likieru kokosowego przełamał kawę na przestrzeni kubka. upijał z niej kolejne krople. powoli. tym ociąganiem się na krawędzi przełyku rozciągał każdą minutę do granic przyzwoitości.

Ona znów była daleko. on znów był tutaj.

czekał, patrząc na ściany wpółoswojonego domu.

szukał swoich śladów, talizmanów określających terytorium, za bezpieczeństwo którego gotów był zabijać.

z upływem dni, wraz z mnożeniem snu przy Niej, docierało do niego, jak bardzo zdziczał w samotności. jak mocno oddalił się od ludzi i jednocześnie wzmocnił w sobie potrzebę silnego, bezpiecznego Domu.

budował go teraz.

każdym oddechem, wspólnym snem, słowami i milczeniem, zamkniętymi powiekami i zapatrzeniem. był silny i zdeterminowany w tym dążeniu. czujny i gotowy do walki o swoje Gniazdo,

jeśli miałaby nadejść taka potrzeba. i przerażony
jak dziecko, że żadna ludzka siła może nie być
wystarczająca do sprostania meandrom losu.

10

odnajdywał się w Niej.

jak w delikatnym lustrze, którego powierzchnia – drżąc – zakrzywia obrazy w stronę doskonałości.

widział siebie w sposobie, w jaki unosiła kubek do ust.

w tym, jak przeczesywała włosy po śnie, czy w malowaniu ust na kolor czerwieni zabarwionej wiśnią. odbijał się w dźwięku Jej głosu w rozmowach z kwiatami, gdy je podlewała, i w nuconych pod prysznicem melodiach.

stąpała jego krokami, jego dotykiem dotykała przedmiotów.

w Jej spojrzeniach stawał się silny, piękny i dostojny.

odruchowo rozpościerał ramiona, gdy przechodziła obok. jakby chciał być gotowy na każdy ewentualny niepewny Jej krok.

próbował czasem patrzeć na siebie Jej oczami.

11

leżeli w łóżku nad ranem, rozmawiali.

zauważył, że Ona lekko przysypia.

– gdzie idziesz?

otworzyła oczy i spojrzała na niego ze zdziwieniem.

– no, gdzie idziesz? – powtórzył.

– ale jak to „gdzie idę"?

– no przecież widzę, że idziesz spać... nie idź...

roześmiała się słonecznie.

podała mu usta.

dzień się przebudził.

12

chodził za Nią po giełdzie kwiatowej i starał się zapamiętać wszystkie nazwy roślin, jakie mu pokazywała.

– begonia, stokrotka, piwonia, bratek, dalia, petunia, nasturcja, malwa, niezapominajka, wawrzynek – wyliczała, kolejno pokazując na doniczki lub nasiona. – a tu jeszcze tulipany, które znasz. magnolia, hortensja ogrodowa, ta z różowym, okrągłym kwiatostanem, i hiacynty.

rozbieganym wzrokiem rejestrował różnobarwne kształty.

– Kochanie, czy ty zamierzasz je wszystkie kupić i zasadzić w ogrodzie? gdzie my je wszystkie pomieścimy?

roześmiała się promiennie i cmoknęła go w policzek.

– nie, miś. nie kupimy dziś nic, poza bukietem do wazonu w salonie.

– wiesz… – wpadł w lekką dezorientację. – jak cię kocham, tak nie rozumiem… przecież kwiaty do salonu mogliśmy zerwać przed domem, a ty mnie ciągnęłaś na ten drugi koniec świata o 5.00 rano?!

spojrzała na niego z figlarnym błyskiem w oku, zarzuciła ręce na szyję, stanęła na palcach i otarła się łonem o jego podbrzusze.

– to tak w ramach porannego seksu… – wymruczała, lekko gryząc go w ucho.

13

pisał na łóżku, a Ona usiadła za nim – prosto z kąpieli, owinięta ręcznikiem, z kroplami wody na ramionach – i całowała go po karku i plecach. Jej mokre włosy łaskotały go delikatnie.

gdy poczuł na sobie Jej dłonie, zostawiające ślady dotyku wzdłuż kręgosłupa, zaczął tracić panowanie nad literami.

drasnęła go paznokciem.

– znalazłaś coś? – zaśmiał się po cichu.

– tak, ciebie... – szepnęła. – jezu, jak ja cię znaczę paznokciami. wiesz, jak to wygląda?

– mmm?

– jak blizny... kocham cię...

odwrócił głowę w Jej stronę i uśmiechnął się delikatnie.

– o czym? – chciała zajrzeć mu w myśli.

– delektuję się tobą...

wróciła do pocałunków.

14

– rozumiem cię... – mówiła, patrząc mu prosto w oczy.

a oczy miała senne, lekko opuszczone powieki wskazywały na późny wieczór.

gdyby miał określić Ją jednym z zapachów, nie umiałby.

dziś dominowała słodkością przełamaną powiewem świeżości.

niedawno pachniała zimowym wieczorem. i jabłkami.

tydzień temu kompilacja aromatów na Jej karku doprowadzała go do seksualnego amoku.

wczoraj, tuląc twarz do Jej włosów, czuł się jak małe dziecko kołysane do snu.

– kocham cię... – odczytał Jej słowa z oddechów na brzuchu.

15

kiedy o Niej myślał, a działo się tak praktycznie bez przerwy, pod jego powieki wkradało się ciepło słońca. bez zająknięcia potrafił wyrecytować oddechami zapach Jej skóry. gdy zasypiała, gdy śniła głęboko i tuż przed przebudzeniem. inaczej pachniała, gdy mówiła o czymś z podnieceniem. jej szyja nabierała wtedy delikatnego odcienia różu. gdy była zmęczona, zapach skóry matowiał.

topografię Jej pieprzyków i piegów miał dreszczem wyrytą na opuszkach palców. odkąd zaczęła dzielić z nim sen, lubił wtulać swoje oddechy w splątane pukle Jej włosów, które wachlarzem rozkładała na poduszkach.

nauczył się dla Niej sklejać potłuczone, ceramiczne filiżanki.

zawiesił duże lustro, by codziennie móc Ją dla siebie w nim mnożyć.

stał się łaskawszy dla siebie, przez wzgląd na Jej troskę.

nie starał się dla Niej pokochać życia, ale przestał z nim walczyć.

nauczył się znów patrzeć sobie w oczy, choć przy Jej pięknie wydawał się sobie coraz brzydszy.

codziennie pytał sam siebie, czemu przy nim jest, mimo jego napiętnowanej niedoskonałościami duszy. bał się, że Ona zadaje sobie to samo pytanie. każdego świtu otwierał na chwilę oczy, by sprawdzić, czy wciąż śpi obok i czy Jej sen jest spokojny. każdego wieczoru przedsennie zamykał Ją mocno w ramionach, by nie chciała śnić o drogach, które nie są ich wspólnymi.

modlił się do Jej obecności.

przeklinał nawet najkrótsze rozstania.

błogosławił powroty.

kolekcjonował Jej czułe spojrzenia, jak troskliwie gromadzi się listy od matki, która pisze z drugiego końca świata.

16

siedział i pisał.

do zakończenia książki brakowało mu jedynie kilkunastu stron, garści obrazów. dzień był słoneczny i ciepły. zbliżała się wiosna, jego ulubiona pora nocnych wędrówek. wiedział, że właśnie w tym czasie zamknie wersję roboczą, a miesiąc oddechu pozwoli mu później świeżo spojrzeć na pracę ostatniego roku.

mruczał coś do siebie pod nosem, przegryzając kawałki pomarańczy leżące obok. na rozłożonych wkoło kartkach maszynopisu co jakiś czas pojawiały się pierwsze poprawki; skrawki myśli do utrwalenia, rodzące się tuż po zapisaniu obrazu.

lubił te chwile sam na sam z czystością papieru. do ostatnich chwili nie wiedział, co się na nim za moment pojawi. przykładał palce do klawiszy i powstawał świat. trochę jego, trochę cudzy, nowy. świat tak inny od rzeczywistości, w jakiej żył, a jednocześnie tak do niej podobny. popękany lub wygładzony, prosty lub pełen zawirowań.

siedział i pisał.

miał dużo czasu, najbliższe dni nigdzie się już nie spieszyły.

17

pił wino z kubka.

na kolanach miał otwartą książkę, grzbietem do góry.

wzmocniony, osiemnastoprocentowy trunek wbijał mu w źrenice każdy nieruchomy cień, jaki przysiadł na przybrudzonych tapetach.

modlił się do ciszy.

chciał, by trwała wiecznie, jak zatroskana matka przy chorym dziecku.

miał przed sobą przyziemne dni w przestrzeni do objęcia kilkoma godzinami i jednocześnie cały świat, w bezczasie.

powoli zaczynał dojrzewać do świadomości, że Dom to on.

nie miejsce, nie kapelusz na wieszaku przy wejściu, nie oswojony kubek do kawy.

on.

on i jego chropowata rzeczywistość, rozgrzewana kobiecą dłonią na policzku, zapachem perfum w łazience i kawą podawaną po przebudzeniu.

jego świtem wyostrzony wzrok, czucie przemoczonych butów, zamiłowanie do mocno przyprawionych potraw i dotykanie kwiatów po deszczu.

i jego prywatne wojny w nim samym. ciężkie, bolesne i krwawe. przeplatane krótkim snem i chwilami na oddech. utkane z niezgody na świat, posmaku nienawiści do życia, w kolorze spacerów po poręczach mostów.

z wiekiem jego pomruki stawały się cichsze. zamykał je w sobie, jak łapie się w dzieciństwie chrząszcze do słoika.

stwardniał psychicznie, uodpornił się na ludzi.

to były fundamenty tego Domu.

18

ze snu wybudził go ucisk w gardle.
nagle rozerwane powieki zapłonęły bólem.
usiadł na łóżku.
przez krótką chwilę nie bardzo wiedział, gdzie jest.
resztki nocy leżały jeszcze na książkach, stole, wystawały ze szpar w drewnianej podłodze.
wstał gwałtownie, jak człowiek, który zaspał na pociąg.
rozejrzał się wkoło.
nie czuł się wcale lepiej.
nagła panika i rozdrażnienie, które go wybudziły, obsunęły się z szyi na dłonie.
drętwiały mu palce.
zaczął nerwowo chodzić po pokoju.
od drzwi do okna.
od okna do drzwi.
oddychał głęboko, chcąc przywołać spokój.
czuł się jak mały chłopiec.
miotał się między histerią a narastającą agresją.

kiedy obudziła się jakąś godzinę po nim, znalazła go w kuchni. siedział i nieruchomo patrzył za okno, zaciskając dłonie na kubku wystygłej herbaty. zauważyła, że w tej chwili zamyślenia bardzo się postarzał. bruzda między brwiami zasnuła się cieniem, pociemniały mu powieki; na dłoniach pojawiły się pulsujące żyły, mozolnie tłoczące krew.

wyglądał, jakby zastygł w jednej chwili, w jednej myśli.

po cichu wróciła do sypialni.

znała go na tyle, by wiedzieć, że w takich momentach byłby dla Niej obcym człowiekiem, zamkniętym na jakiekolwiek ciepło.

19

pokazywał Jej zdjęcia swoich kobiet, jakby chciał powiedzieć: „popatrz, popatrz! należysz do najpiękniejszych tego świata". tak go rozumiała i to Ją bolało. a on, decydując się na wyjęcie tych fotografii, chciał Jej nimi wykrzyczeć, że nie ma ludzi, którzy umieliby z nim żyć, przy nim wytrwać. nie tylko kobiet. były tam też zdjęcia dawnych przyjaciół. nie dotarła do nich, zniesmaczona zatrzaskując wcześniej album.

w milczeniu patrzył, jak drżały Jej dłonie; jak w jednej chwili stała się mniejsza i krucha jak liść. jakby te wszystkie twarze, uchwycone w kadrach całego świata, opadły na Jej drobne ramiona i przygniatały do brudncj podłogi swoją obecnością w jego życiu.

siedział naprzeciwko Niej i nie bardzo wiedział, co powiedzieć; jakich słów użyć, by choć raz dobrze go zrozumiała; by jego słowa nie wznieciły w Niej złości, żalu i wyrzutów, którymi ciskała w niego jak szklankami o ścianę, gdy pojawiał się po długim milczeniu.

szukał w sobie ścieżek dla myśli, którym tak łatwo było uciskać mu skronie, a które nie potrafiły znieść światła dziennego i przylgnąć do kogoś, komu chciał je ofiarować.

– nie umiem żyć ani z ludźmi, ani bez nich... – zaczął po cichu.

siedziała skulona i milcząca, ze wzrokiem wbitym w zamknięty przed chwilą album. mógł wyciągnąć rękę i dotknąć Jej kolan; mógł pogłaskać Ją po głowie; mógł wierzchem dłoni poszukać wilgoci na Jej policzku, choć bał się, że łzy obnażyłyby jego bezbronność wobec sytuacji, do której sam doprowadził. patrzył na kontury Jej palców, bezwiednie ściskających brzeg spódnicy, którą dla niego włożyła. mocno zwarte kolana odbierały mu prawo do jakichkolwiek frywolnych żartów, którymi mógłby starać się rozładować narastające napięcie. całe Jej ciało w jednej chwili zamknęło się na niego. na obecność, dalsze słowa, jakikolwiek gest.

wędrował po Niej wzrokiem w milczeniu. wychwytywał pulsowanie tętnic, kosmyk włosów opadający na szyję, zmarszczki w kącikach nagle zaciśniętych powiek, prawie niewidoczne drżenie ust. przeliczał piegi na Jej ramionach, źrenicami dotykał pieprzyków i znamion, odgadywał mieniące się kolory kolczyków, oddechem wygładzał kołnierzyk koszuli, gładko układając go na Jej karku. w myślach starał się te wszystkie detale poskładać w całość – w kobietę, która siedziała przecież teraz przed nim – i nadać jej znaczenie czegoś nieprzemijalnego. usiłował wyobrazić sobie ich trwanie – nie obok, a w sobie – w tej pełni, którą ludzie zwykli nazywać miłością. chciał zobaczyć te rytualne wypełnianie dni, oparte na porannych kawach, spacerach, płaceniu rachunków, snuciu planów wakacyjnych i na tych wszystkich innych magnesach, jakie przyciągają do siebie dwoje ludzi w celu utworzenia domu i zabicia poczucia samotności.

i mógł Jej opowiedzieć o tym wszystkim, co zobaczył czy nawet poczuł przez chwilę. i wiedział, że jego słowa rozprostowałyby Jej palce, teraz zaciśnięte mocno na tej spódnicy, która naprawdę mu się podobała, a o czym nie zdążył Jej powiedzieć, bo rozpoczęła z nim rozmowę o życiu. ale nie odezwał się ani słowem, bo gdyby tylko otworzył usta, te obrazy przeplotłyby się

z innymi obrazami i Jej pięści na powrót stały-
by się małymi kamieniami, spoczywającymi na
zaciśniętych kolanach. bo chcąc być uczciwym,
musiałby powiedzieć Jej również o samotności
między ludźmi, której nigdy nie umiał się pozbyć,
a która nie leżała między kimkolwiek, a w nim
samym; o tych ścieżkach, które wyryte ma we
krwi, gdzie do piękna dojść można jedynie po
bólu; o falach niezrozumienia, obcości; o uciecz-
kach od siebie, które – choćby najkrótsze – zawsze splecione są ze strachem i bezsennością
kogoś, kto go pokocha.

i o tym, że gdyby nawet miał Jej przyzwolenie
na te ucieczki i te powroty, na umieranie i ro-
dzenie się na nowo, to nadszedłby taki dzień,
gdy wróciłby do pustych ścian. bo nie ma Domu
tam, gdzie jest samotność oczekiwania.

20

nie odszedł nagle i od razu.

odchodził od Niej długimi miesiącami pełnymi bólu, którego nie potrafił ukształtować słowami; kawalkada bezsennych nocy, wyrzygiwanych świtem w cichej łazience; odchodził odrętwieniem i nieczułością na Jej dotyk, którym usilnie próbowała go zatrzymać w zasięgu swojej niegasnącej miłości.

czuł... tak wyraźnie czuł Jej panikę wplecioną w ich rozpadający się świat. nie rozumiał siebie i swoich reakcji na Jej obecność – jeszcze niedawno tak zachłannie potrzebną i nieodzowną, by mógł dotrwać do świtu.

by znieść tę poszerzającą się rysę, tę ponownie pojawiającą się w jego życiu rozpadlinę przy najbliższej osobie, codziennie odprawiał małe pogrzeby – na miarę wytrzymałości żegnał się najpierw z Jej ciałem, później z Jej czułością, którą garściami zagarniał do kieszeni, wiedząc, że najbliższe miesiące czy lata będą zimne, pozbawione tego specyficznego ciepła i tego blasku, który pomagał mu oddychać. dzień po dniu stawał się coraz bardziej im obojgu odległy i obcy. znieczulał się na ten końcowy moment, gdy człowiek gnie się z bólu do ziemi i chce, tak bardzo pragnie, by dalej nie było już nic; by to było TO, ten kres wszystkiego, co rani, co krwawi; co sprawia, że człowiek nie ma już więcej łez; gdzie pragnie się wziąć ostatni oddech i rozpaść na atomy nieznające tego bólu.

kiedy poczuła całą sobą, że traci go bezpowrotnie, chciała dać mu ostatni skrawek siebie, którego mógłby się jeszcze uchwycić, by przy Niej zostać. ofiarowywała mu swoje ciało nocami, ale on już był tak daleko, że najboleśniejsze rozpostarcie ramion nie pomogłoby mu Jej dosięgnąć, choćby równie mocno wyciągała do niego dłonie. był na siebie zły, było mu wstyd. a Ona spalała się coraz bardziej przy każdej jego odmowie; w każdym śnie, do którego sama musiała otulać się sobą, przywołując z pamięci jego dawne ciepło silnych ramion.

jako ostatnie pożegnał Jej usta.

usta, do których kiedyś modlił się żarliwie, które podawały mu oddechy każdego z tych pięknych dni. usta czułe, usta zachłanne, usta głodne, kochające, nienasycone i kojące zarazem. brał życie z Jej pocałunków. biorąc je ostatni raz, wiedział, że tego nie da się wziąć na zapas…

część
III

I

z listów:

„(...) Paul Shepard wyjął kiedyś z siebie takie słowa, że jesteśmy samotni, nie aby uciec, lecz aby odnaleźć rzeczywistość.

czy myślisz, że właśnie dlatego i ja ją wybrałem? to by znaczyło, że moja rzeczywistość została zagubiona lub nigdy jej nie posiadłem.

powinienem zasmucić się z tego powodu, a jednak nie widzę tego w ten sposób.

myślę, że posiadam rzeczywistość, a może to ona posiada mnie. różnicy nie ma, jeśli spojrzymy na to w ten sposób, że oboje odkrywamy się sukcesywnie i jesteśmy niezmiennie sobą zaskoczeni. to poczucie pcha wszystko do przodu i ustawia nas na pozycji obustronnej sympatii.

wybierając samotność, stałem się wierny rzeczywistości. odpłacam jej swoją pełną uwagą za dozgonną wierność. tworzymy symbiozę. układ partnerski, u którego podstaw powinno leżeć zrozumienie.

a jednak... (...)”.

2

– głowa mnie boli, wiesz... – powiedział, gdy tylko usłyszał, że podnosi słuchawkę. – tu, z boku... – dotknął skroni, wizualizując Ją sobie, jak stoi przed nim w milczeniu. – w tym miejscu, gdzie zbierają się od dawna te wszystkie słowa do ciebie...

po drugiej stronie panowała cisza.

– i dzwonię – kontynuował. – dzwonię, żeby ci powiedzieć, że jesteś moim bólem głowy, moim brakiem snu, zbyt wieloma wypalonymi papierosami i mocnymi, samotnymi orgazmami przed świtem, po których muszę długo stygnąć pod prysznicem. ale to nic... – zaczerpnął powietrza. – dziś zrozumiałem, że co człowiek, to miłość; i że kochamy tak samo inaczej, jak różnimy się imionami. a nawet jeśli dwoje ludzi miałoby tak samo na imię, to ma jeszcze różne nazwiska, imiona matek, adresy i numery dowodów osobistych. i że u dwojga ludzi nie tylko miłość jest różna. ból także. mój ból ma dziś twoje imię. twój kolor oczu, zapach twojej szyi i echo twoich jęków – tych, podczas których topniałaś mi w dłoniach ostatnim razem, gdy nie dzieliło nas jeszcze nic. to znośny ból czasami i czasami przyjemny.

westchnienie.

usłyszał westchnienie i przerywany sygnał w słuchawce.

3

z listów:

„(...) tej pierwszej nocy, gdy Cię ujrzałem, piłem już od wielu, wielu dni. siedziałem w przypadkowej knajpie; w mieście, którego nazwy nawet nie znałem; skacowany po długim ciągu i seksie z jakąś małolatą, która w zamian chciała tylko trochę drobnych na codzienną działkę.

podniosłem wzrok znad pustego kieliszka, żeby opędzić się od jej natarczywych rąk, rozpinających mi pod stołem rozporek, i wtedy ujrzałem Ciebie. siedziałaś przy barze, bokiem do mnie. Twój wzrok pływał po powierzchni nadpitego wina. z czasem dowiedziałem się, że było to martini i że powinno się je pić jedynie z Twoich ud. patrzyłem na myśli, które topiłaś w kieliszku, i rozczulał mnie sposób, w jaki unosiłaś go do ust. pomyślałem wtedy, że właśnie takie kobiety umierają z miłości i do nich modlą się wszyscy ci, którzy boją się świtu.

nie podszedłem wtedy do Ciebie, choć tak cholernie potrzebowałem poczuć z bliska Twoje ciepło. byłem brudny, pijany i śmierdzący życiem. wziąłem małą do motelu, dałem jej kasę i wypchnąłem za drzwi (...)".

4

lubił zamykać oczy, siedząc w kawiarnianym ogródku przypadkowego miasta; wsłuchiwać się w stukot szpilek i wyobrażać sobie, że czeka na Nią i oto właśnie kroki zwiastują Jej obecność. przywoływał wtedy w sobie to cudnie gęste podniecenie, wywołane mieszanką tęsknoty i niepewności, które narastało wraz z Jej odwiecznym spóźnianiem się na spotkania. po powitalnym pocałunku wybaczał Jej każdą nadprogramową minutę oczekiwania, choć w jego trakcie cierpiał katusze, wymyślając sobie od głupców, z których kobiety skinieniem palca potrafiły zrobić kundla, wiernie czekającego na najmniejszą oznakę ciepła.

dzień, w którym teraz wróciła do niego pod powiekami, był jednym z pierwszych tej wiosny, gdy powietrze nie miało już w sobie nic z ciężaru deszczu. wrażenie Jej nadejścia było tak intensywne, że odruchowo wyciągnął przed siebie rękę, jakby chciał uchwycić rąbek jednej z Jej ulubionych letnich sukienek. kusiła go nimi tak często, że rozróżniał nawet ich szelest – czy to, gdy ocierały się o wysokie trawy łąk, na których kochali się dziko; czy gdy opierały się na drewnianych skrzynkach stoiska na targu, przy którym w każdy piątek wybierała jabłka do ciasta.

– lubię cię – podawała mu owoc ze śmiechem.

– lubię cię – rozłamywał jabłko i oddawał Jej połowę.

– dzielisz się ze mną grzechem? – była słodko zaczepna.

– grzechem i przyjemnością – nie potrafił się nie roześmiać. – to często to samo.

5

z listów:

„(...) trudniej chodzi się po ulicach ze świadomością, że nie ma Cię gdzieś obok. nadal rozmawiam z Tobą w myślach. piję do Ciebie, odważnie patrząc w lustro. zapijam kolejne życia, usiłując zmartwychwstać. rano budzę się z krwią w kącikach ust i już wiem, że nadal żyję i do Ciebie jest tak samo daleko jak wczoraj. we snach dotykam mostu, z którego kiedyś w przyszłości będziesz śledziła jesienne liście drżące od nurtu rzeki. i wiem, że choć będę tam stał – tak blisko, by móc oddychać Twoim zapachem – Ty nie będziesz potrafiła zobaczyć, jak oczy zachodzą mi łzami; poczuć pragnienia, z jakim chciałbym Cię przytulić, i tej rozpaczy, że nie mogę być tym liściem na wodzie, na którym zawiesiłaś tęskne spojrzenie. będziesz wtedy dojrzałą kobietą, czas wpasuje Ci się w skronie i każe masować je co wieczór, byś mogła zapaść w sen płytki i niespokojny. i tylko tam spotkamy się czasami, i nawet nie wiem, czy będziesz potrafiła poznać mnie jeszcze po imieniu. to będą spotkania tkliwe i pełne ciepła, bo – jak na tym moście – będę mógł prawie Cię dotknąć, prawie przytulić i wyobrażać sobie, jak odgarniam Ci włosy z twarzy (...)".

6

w tej podróży, którą sam sobie wyznaczył, dni nie miały dat.

rozdawał siebie napotkanym ludziom, którzy dozowali mu kolejne przystanki odpoczynków. jak kości do gry, rzucone z wyczekiwaniem na wygraną, zamykał ich w dłoniach na chwilę szczęścia.

uczył się siebie od każdego napotkanego człowieka. godzinami trwał w zadumie, obserwując rodzącą się mandalę, rozświetlającą sobą kolejne chwile trwania w bezruchu. dziwny język, który wibrował mu w uszach, był tak samo przystępny co niezrozumiały.

nie istniało sacrum i profanum. wszystko było jedną energią, która spływała w nim potokami krwi.

na obrzeżach prowincji noc powitała go konstelacjami rozmodlonych gwiazd. powietrze z upalnego stało się niemal mroźne i naznaczało każdy oddech gęstą chmurą pary. mroczne góry rysowały szczytami poszarpany horyzont.

modlitewna mala zagrzechotała mu w zziębniętych dłoniach. pozwolił myślom rozgościć się na granicy snu i świadomości. oddał kamieniowi ciepło pleców. zamknął oczy, by znaleźć dalszą drogę, i ludzi, którzy opowiedzieliby mu o nim samym. w ostatniej przedsennej minucie zobaczył Jej twarz. miała wygładzone rysy i cierpliwość w oczach. poczuł Ją jak dom, do którego zawsze można wrócić.

7

„(...) jestem tu sam i myślę o Tobie, jak o pięknym, letnim wieczorze, gdy potrafiłem po prostu cieszyć się tym, na co patrzę, siedząc pod jednym z najstarszych drzew świata. jak o tym momencie, tej chwili, gdy tyle razy przebudzałem się przy Tobie z tęsknotą silniejszą niż świt i godzinami obserwowałem pulsującą skórę na Twojej szyi. była przypływem dla moich oddechów, zwiastunem rozkoszy, jaką niósł ze sobą nadchodzący dzień i Twoje uchylenie powiek.

porównuję Cię do drogi przepełnionej soczystym zapachem poboczy, które rozkwitały kwiatami w środku lata. ponętnej i kuszącej jak najsłodszy narkotyk.

jestem tu sam i wspominam Twoje usta, tak zachłanne, gorące i głodne, tak niecierpliwe i żądne zaspokojenia wszelkich fantazji, jakie rodziły się od dotyku moich dłoni na Twoich biodrach.

i wracam do Twoich łez, które wypływały z moich chmurnych spojrzeń i braku słów.

czy naprawdę aż tak trudno było nam spleść dźwięki ze sobą, by drżenie nie było bolesne?

pamiętam, jak chciałaś mi dać cały świat, a ja podarowałem Ci chwilę, która wtedy zdawała się właśnie całym światem.

bo nie mogłem dać więcej.

bo wtedy to był cały świat.

i pamiętam dzień, w którym ten cały świat zamknięty w chwilach stał się dla Ciebie jedynie wspólnie spędzonymi sekundami i pojawił się w Tobie głód i brak, i niedosyt.

to właśnie wtedy miłość stała się bólem.

to właśnie wtedy sens splótł się z przemijaniem".

8

zawsze, kiedy czuł nieodpartą potrzebę, by do Niej zadzwonić, szykował się jak do najważniejszej z randek. brał prysznic, golił się, usiłował zapanować nad rozwichrzonymi włosami, kupował perfumy i wcierał je w rozognioną goleniem szyję, zaciskając zęby na ból palącej skóry. czyścił paznokcie i starannie dobierał najlepsze ubranie z mocno już przetrzebionej garderoby. długo sprawdzał przed lustrem efekt końcowy. krzywił się z niesmakiem na oznaki upływającego czasu, zostawiające na jego twarzy coraz wyraźniejsze ślady mijającej młodości.

wcześniej sprzątał dokładnie swój motelowy pokój, jakby wieczorem miała go odwiedzić, by ocenić, jak sobie radzi w życiu, omiatając kąty uważnym spojrzeniem.

kupował na ten wieczór, na tę noc dobre wino, zawsze dwie butelki.

kiedy był już gotowy, siadał na dokładnie zaścielonym łóżku i patrzył, jak coraz intensywniej drżą mu dłonie.

– to niewiarygodne... tyle czasu, tyle lat, a wciąż tak samo... – kręcił głową z niedowierzaniem. – jak dzieciak... jak mały gnojek przed pierwszą randką!

siadał na podłodze, stawiał obok siebie butelkę i popielniczkę. sięgał po słuchawkę, wybierał Jej numer i zapominał o oddechu.

tym razem wszystko wyglądało prawie tak samo. wypił mocnego drinka dla dodania sobie odwagi. minęło kilka lat od chwili, gdy słyszał Ją ostatni raz. płakała mu do słuchawki, a on milczał, nie wiedząc, co powiedzieć, bo każdy zarzut, jakim w niego ciskała tymi łzam, był nie do podważenia. kazała mu wtedy zniknąć z Jej życia i on był posłuszny, nie mogąc nic więcej zaoferować. była obecna przez te wszystkie lata w każdym jego dniu, w każdym śnie, w każdej kobiecie, która nie umiała mu zaoferować nawet ułamka z tego, co Ona była gotowa mu dać, co mu z siebie dała.

dziś poczuł, że nie zniesie tej nocy, jeśli nie usłyszy choćby Jej oddechu w słuchawce. chciał Jej powiedzieć, że przez ten cały czas może się nie zmienił, może nie nauczył się żyć, ale że myślał o Niej najpiękniej, jak potrafił, każdego dnia, każdej pojedynczej nocy.

podniósł słuchawkę i z pamięci wybrał numer. nie zdążył zaczerpnąć w płuca powietrza, gdy automatyczna wiadomość z centrali poinformowała go, że nie ma takiego numeru. odłożył na sekundę słuchawkę na widełki, po czym spróbował jeszcze raz. znów te same słowa. przebiegł w myślach cyfry numeru. nie wierzył, że się pomylił, że mógłby zapomnieć coś, co miał wytatuowane na duszy.

wybierał numer jeszcze kilka razy, czując, że z każdą sekundą coraz bardziej brakuje mu powietrza. tysiące pytań rozsadzały mu czaszkę. panika wkradła się w dłonie, rozlał alkohol na poszarzały, motelowy dywan. czuł narastającą wściekłość, niepohamowane łzy wdzierały się pod powieki. był sam. poczuł to każdą komórką odrętwiałego z przerażenia ciała.

zerwał się na równe nogi i zamarł, bo nie wiedział, gdzie iść. kręciło mu się w głowie, skurcze żołądka wygnały go do łazienki, gdzie wymiotował przez kwadrans. kiedy obmywał twarz nad umywalką i spojrzał w lustro, wydał się sobie śmiertelnie zmęczony i stary. mokre włosy przykleiły mu się do czoła, zaczerwienione oczy chowały się w zapuchniętych powiekach, przy zaciśniętych ustach pojawiły się ostre zmarszczki. jakby każdy dzień tęsknoty za Nią zostawił na jego twarzy swój pocałunek.

wrócił do pokoju, usiadł na łóżku i mocno objął się ramionami, by odgonić przerażenie.

– myśl! myśl! – warczał na głos do siebie.

rzucił się nagle do swoich notatek, spod sterty papierów i książek wyciągnął jeden ze starych dzienników i zaczął go nerwowo kartkować. znalazł, czego szukał, i podbiegł znów do telefonu.

wybrał numer Jej matki. czekał. usłyszał sygnał oczekiwania na połączenie, a po chwili głos starszej kobiety:

– słucham? halo?!

– zastałem córkę? – ledwie wydobył z siebie szept.

– chwileczkę! – usłyszał ukochane imię biegnące echem w głąb odległego, obcego domu.

– z kim rozmawiam? – Jej ostre pytanie przywróciło mu oddech.

odłożył słuchawkę, osunął się na podłogę, a jego ciałem targnął głęboki, niczym niehamowany szloch.

9

z listów:

„(...) nie umiałbym żyć z Tobą, tak samo jak nie potrafię żyć z dala od Ciebie. na początku chciałem jedynie pożerać Twoje ciało noc w noc; karmić swe pożądanie Twoimi gorącymi oddechami; czuć pod prysznicem ból bioder, które chwilę wcześniej oplatałaś mi udami. piłem pod Ciebie, żyłem pod Ciebie, włóczyłem się do Ciebie. odchodziłem najedzony Tobą, by już kilka metrów za progiem poczuć ten głód od nowa. uwielbiałem kochać Cię tak, byś dochodziła jak najgłośniej; nie wyobrażałem sobie tych chwil bez bólu paznokci, którymi bezwiednie rozrywałaś mi plecy i ramiona; oddałbym wszystko, by znów oparzyć szyję o Twój oddech. chciałbym patrzeć Ci w oczy i widzieć w nich ten nieziemski, wilczy głód. pomiędzy pocałunkami pytać, o czym myślisz, i słyszeć odpowiedź, która mówi wszystko: *nie pytaj*.

później przyszły noce, w których wtulałaś się we mnie do snu, jak w bezpieczne gniazdo. i zaczęły boleć mnie ramiona nie zwykłe zamykać w sobie kogoś na dłużej niż kilka chwil. i pytałaś, dlaczego przestałem sypiać i tak wcześnie witam dzień. i ta nadchodząca wiosna, zamiast uśmiechu, przyniosła łzy. choć wcześniej żyły już między nami słowa o moim oddaleniu od miłości; o tym, co mam w oczach, gdy nie patrzę na Ciebie. nasze pierwsze rozmowy o nas samych wydawały się lekkie i błahe; problemy i światopoglądy możliwe do naprostowania; rozbieżne drogi migotały wspólnym horyzontem. wierzyłaś, że wszystko może być takie, jak byś chciała, by było. i tak jak na początku byłem dla Ciebie obietnicą najpiękniejszej podróży przez życie, tak z czasem stałem się bólem mylnych wyobrażeń. powoli zaczynałaś nienawidzić mnie równie mocno, co kochać – jakbym od początku nie pokazywał Ci tych dróg biegnących w dwie różne strony świata.

dziś wiem, że jakkolwiek daleko bym wyjechał, wciąż będę wracał do tych chwil, gdy zasypiałaś we mnie, a ja czuwałem do świtu; do dni Twojej złudnej wiary w happy endy. bo może tak właśnie było przez chwilę. tak było, bo Ty tego chciałaś, a ja nie zacierałem obrazu.

później nadszedł ten sen otulony ramionami, gdy zrozumiałem, że umrę, jeśli nie odejdę.

i odszedłem.

i tak samo umarłem".

10

z listów:

„(…) chciałbym podarować Ci wszystkie moje niepokoje. na chwilę – byś poczuła, byś zrozumiała. żebyś nie musiała nocami zastanawiać się nad prawdziwością naszych chwil. żebyś mogła zasnąć i śnić o kimś innym lub nie śnić wcale. im mniej posiadam, tym jestem spokojniejszy. dlatego właśnie zostawiam wszystko – bez pożegnania i zbędnych słów. bo co miałbym powiedzieć?! bez poczucia słowa przecież nic nie ważą. a Ty tak samo mocno kochasz się w słowach, jak im nie ufasz”.

11

z listów:

„(...) jest młody dzień, a ja już witam krzywe spojrzenia rzeczywistości, podparte kolejną szklaneczką. to jeszcze nie upojenie, ale już nie trzeźwość.

(...)

wiesz... zdawkowe gesty, one wszystkie mają w sobie namiastkę Ciebie. darowane przez obce mi kobiety, czułym odruchem wypełniają te odległe znamiona, które może tylko pozostawić na policzku cienka linia czerwonej szminki z zachłannych ust. przecież wiesz, że kobieca czułość, tkliwość... one zawsze rozbierały mnie na pierwiastki najbliższe bezbronności. na chwilę, ale zawsze...

poddaję się temu, licząc, że za którymś pocałunkiem to Ty mnie znów rozbierzesz do tej bezbronności, której się nie boję; która daje mi oddychać spokojnie, czuć spokojnie, śnić spokojnie. nawet jeśli chwilę później moje oczy stają się czarne, dłonie nikną w pięściach, a oddech kaleczy płuca. jesteś we wszystkich kobietach, które kiedykolwiek na mnie spojrzały; które dotknęły moich ramion czy mojego podbrzusza. w nich wszystkich, które chciały dać mi sen i seks...

wykrawałem z ich intencji tylko te kawałki, które pachniały Tobą, obrazowały Ciebie, jak stygmaty wypalone na powietrzu – tak piękne i trudne do dotknięcia. tak niewyobrażalnie doskonałe.

kobieta sprzedająca jabłka ma zawsze ten sam cień zawstydzenia w kącikach ust, gdy przybliżam twarz do owoców i wącham je z nieukrywaną rozkoszą. młoda dama z piekarni milknie – jak Ty – uroczo, gdy staję w drzwiach cały w deszczu i niewyspaniu. staje się matczyną przewodniczką w tych chwilach, gdy nie potrafię wybrać pieczywa. ja staję się na moment jej małym chłopcem, a wybieranie chleba jest wtedy najistotniejszą nauką życia. gramy dla siebie.

są kobiety potrafiące przytulić mnie czule, jak tuliłaś mnie Ty, gdy już nie wiedziałem, jak żyć i czy w ogóle żyć jeszcze chcę. czułem wówczas przez chwilę ten spokój – lniany i taki miły w poczuciu – jaki tylko Ty potrafiłaś rozwieszać nad każdą moją nocą.

łączę Cię z gestów, słów, dotyków, zapachów i dźwięków. i mimo wszystko nie ma Cię. i mimo wszystko nie mogę Cię mieć, jak miałem kiedyś. i to jest nie do zniesienia. to, jak wysypujesz mi się z dłoni, gdy próbuję Cię w nich zamknąć, by ulepić od nowa.

gdy czuję Cię w ustach... obłaskawiasz je muśnięciem, by po tej chwili – gdy uświadamiam sobie Twoją obecność – zniknąć, zostawiając mnie z nienasyceniem i głodem, zamieniającym się w ból.

i nienawidzę tego bólu, i kocham go jednocześnie, bo ten ból to Ty. mimo że to cała historia Twojej nieobecności, nieosiągalności i oddalenia, to kocham go niewyobrażalnie i nigdy bym się go nie wyrzekł".

12

z listów:

„(...) jest wieczór, a ja poczułem, że chciałbym się do Ciebie przytulić; jak małe dziecko schować twarz w Twojej szyi, jak kiedyś, gdy liczyliśmy dni kolejnymi pocałunkami. pamiętam zapach Twoich włosów i jak śmiesznie łaskotały po twarzy, gdy okrywałaś mnie ramionami.

ale ja przecież wszystko pamiętam.

Twoje drobne nadgarstki – tak stanowcze, gdy czegoś pragnęły dłonie.

Twój spokojny głos, którym w bólu czy podnieceniu potrafiłaś wprawić w drżenie mój silny kark.

w myślach jestem kartografem wszystkich znamion na Twoim ciele.

...

popatrz, co się z nami stało.

kim się staliśmy.

jesteśmy milczącymi do siebie ludźmi; żyjemy na dwóch różnych krawędziach ostrza, rozcinającego czas na nanosekundy tęsknoty.

ja piję wódkę, Ty pijesz życie.
ja jestem wędrówką, Ty domem wśród dzikiego ogrodu.
zawsze, gdy kochaliśmy się, oplatałaś mocno moją szyję.
kiedyś bałem się, że Twoje ramiona staną się łańcuchami.
dziś boję się, że mogły być ratunkiem dla tonącego".

13

siedział i gapił się nieprzytomnym wzrokiem na rozwrzeszczany telefon.

co mógł usłyszeć?

– nie pij więcej!

– kup chleb. zjedz coś wreszcie.

– wróć tu, proszę...

– tęsknię...

– tęsknię...

– ...

gapił się na aparat.

uporczywie.

nerwowo.

bezwiednie.

tęskno.

szyderczo.

z miłością.

a on dzwonił.

tak po ludzku.

14

z listów:

„(...) to było zwykłe, wczesnowiosenne przedpołudnie, kiedy poczułem, jakbym miał umrzeć za chwilę. po kolejnej, prawie bezsennej nocy wyszedłem ze swojego pokoju w rzeczywistość. wynająłem niewielkie lokum w centrum miasteczka, by mieć blisko do knajp i bibliotek, jednak na tyle schowane przed ruchliwą ulicą, bym mógł nocami wsłuchiwać się w melodie pociągów, odgrywane miarowo na odległych torach.

nastał dzień, chwila między wczoraj a dzisiaj; czas, gdy przepuszczasz godziny przez palce, a one w niczym nie przypominają ci soczystych garści dojrzałych malin, które tak bardzo kiedyś się kochało.

śniłem Cię tak wyraźnie, znów tak namacalnie, że gdy otworzyłem oczy, moje dłonie miały jeszcze na sobie Twoje ciepło i były rozdrażnione łaskotaniem Twojej letniej sukienki. długo nie otwierałem oczu, nie umiejąc Cię pożegnać.

sny równie piękne co bolesne, bo naznaczone przebudzeniem. wstałem, wypiłem kawę i poszedłem do sklepu. chciałem kupić chleb i wino. gdy wchodziłem do środka, nawet nie przypuszczałem, że za chwilę stracę wszystkie oddechy.

usłyszałem Twój głos w rogu stoiska z owocami. pamiętam, jak każdy dzień zaczynałaś i kończyłaś soczystą pomarańczą, jakby miały one dziękować za pełny dzień i prosić o dobrą noc. i dziś był tam Twój głos, który sprawił, że musiałem złapać się najbliższego regału, by nie upaść. łapałem powietrze szeroko otwartymi ustami; ktoś wybrał ze sklepu cały tlen, tak czułem. zdrętwiały mi dłonie, zaciśnięte na regale tak, że odpłynęła z nich krew.

bezwiednie szedłem do tego głosu, krok za krokiem. przez chwilę tak mocno wierzyłem, że należy właśnie do Ciebie. chciałem w to wierzyć.

to nie byłaś Ty. to był ktoś, kto miał w posiadaniu Twój głos, choć gdy zobaczyłem tę kobietę, gdy już ją zdążyłem pokochać, a później znienawidzić całym sercem, ten głos przestał być Twoim głosem, pojedyncze nuty i dźwięki stały się diametralnie inne, odległe i obce.

i znów musiałem czegoś się przytrzymać, by nie upaść, gdy ból rozczarowania wbił mi się pod łopatki. jakże okrutny potrafi być ludzki umysł, dając nam takie złudzenia.

wróciłem do swojego pokoju z pustymi dłońmi. długo siedziałem na łóżku i patrzyłem na nie, nie wiedząc, czy wyszedłem po chleb i wino, czy po Ciebie. wiedziałem tylko, że wróciłem do siebie, a one były puste…”.

15

z listów:

„(...) zaśnij – powiedziałbym po prostu, gdybyś leżała teraz obok, na tym bezimiennym, hotelowym łóżku. może ma pościel czystą i nawet pachnącą, ale jest jak ramiona zamykane wokół siebie na siłę – odpychające w swym chłodzie, obce. jednak gdybyś była tu obok, byłoby inaczej. wszystko stałoby się miękkie, jeśli wiesz, co mam na myśli. to łóżko, jego pościel, nawet ten dywan, na którym teraz siedzę – pełen śladów po petach, z plamami alkoholu i moczu. czas stałby się miękki.

zaśnij – powiedziałbym. i może byś mnie posłuchała. a może chciałabyś, bym opowiedział Ci o milczeniu, które nas podzieliło lata temu. o mostach, których do Ciebie szukałem, i o tym, jak je paliłem – znalazłszy".

16

od kilku tygodni mieszkał w tym samym mieście, w tym samym hotelu, spał na tej samej podłodze pokoju z przestarzałymi meblami. łóżko patrzyło na niego oczami tych wszystkich milczących mężów, którzy zdradzali w nim swoje zatroskane żony, cierpiące na chroniczną już bezsenność.

„(...) niektórzy ludzie patrzą na innych jak na odnalezionych wybawców z ich szarych rzeczywistości. chwytają się ich słów, mankietów, szali – w nadziei, że magia, którą w nich widzą, stanie się choć w małym stopniu i ich udziałem; że będą mogli posmakować jej jak ukochanych landrynek z dzieciństwa, których już nie można znaleźć w żadnym sklepie. to złudzenie trwa jakiś czas – póki mózg widzi to, co chce widzieć; zamiast brudnych talerzy po samotnych posiłkach, stosu zaległych rachunków czy dobrze kiedyś znanego wrażenia, że w czymś zostali przez życie oszukani...".

odłożył długopis, przeczytał jeszcze raz ten fragment listu, w którym próbował znieść przed Nią iluzję szczęścia, jaką karmił Ją lata temu i o której myślał czasami, że wciąż jeszcze działa, gdy pojawiają się w Jej życiu dni słabsze, bardziej bezbronne i pozbawione znieczulenia, jakie daje unicestwienie tęsknoty.

– „gdybym potrafił mówić słowa, jakie czuję... – pomyślał – zadzwoniłbym teraz do ciebie i w kilku dźwiękach wytłumaczył, że twoje słodkie wyobrażenia o mnie... że ta magia, którą chciałaś we mnie widzieć, była niczym innym jak moją tęsknotą za tym, by w końcu być dla kogoś dobrym; twoją tęsknotą za tym, by zabrać ci pustkę z dni i nocy; naszą tęsknotą za tym, by równoległe ścieżki ludzi mogły się kiedyś przeciąć w tym samym poczuciu życia...”.

17

z listów:

„(…) nie potrafię dziś tęsknić za Tobą. bo jak miałbym to robić, skoro czuję, że wciąż jesteś przy mnie? dotykam Cię w każdym człowieku, któremu poświęcam spojrzenie. w cichym jazzie kontrabas wybija dawny rytm Twojego serca, wyczuwany kiedyś w przytuleniu.

a może to puls Twoich ud, którego gorąca zachłanność wybudza mnie z odrętwienia w środku tych nocy, gdy już myślę, że może zasnę jak dziecko. wtedy jesteś jeszcze bliżej. wtedy mam wrażenie, że czuję Cię w ustach, dłoniach; że wdzierasz się pod skórę tymi głodnymi zagarnięciami ramion. całujesz moją twarz, jakbyś chciała zdjąć mi z oczu te obrazy, które mogłyby porwać mnie w krainy Tobie nieznane i niedostępne. badasz ustami topografię mojej szyi, jej blizny i mówisz: *nie pytaj*, gdy chcę wiedzieć, dokąd wysyłasz myśli w danej chwili.

a ja pytam nadal, bo chcę słyszeć barwę Twojego głosu; chcę karmić się tym oddechem pełnym pożądania, urywanym i poszatkowanym krótkimi słowami. chcę poznać wszystkie Twoje myśli, z każdego krańca emocji. chcę sobie nimi wyznaczyć pokutę pełną bólu i zadośćuczynienia za nieistnienie w potrzebie bycia”.

18

– „gdybyś miała ogrzać mnie jednym słowem… – składał w myślach list podczas nocnej włóczęgi – jakie byś wybrała?".

zapalił papierosa.

postawił kołnierz kurtki.

na chwilę zamknął w dłoni pulsujące bólem skronie.

– w sumie sam nie wiem, które byłoby najodpowiedniejsze – kontynuował. – może dlatego, że nie potrafiłbym przewidzieć swoich reakcji. chciałbym, by nie było wzniosłe ani wydumane, by nie wiało od niego sztucznością czy wyuczonymi dobrymi manierami. nie chciałbym w nim poczuć przymusu ani patetyczności. chciałbym prostoty. chciałbym ciepła, ale by było w nim jedynie subtelnie zarysowane, bym chciał sam po nie sięgnąć. nie chciałbym słowa wielkiego. tak często umierałem w ostatnich dniach. nie mam siły podnosić wielkich słów. nie lubię ludzi dających sobie nawzajem słowa tak ciężkie, że sami nie są w stanie ich udźwignąć. to nielogiczne. chciałbym, byś ogrzała mnie słowem najlżejszym.

napisał list na kopercie, zamknął go w czystej kartce papieru, schował do kieszeni i poszedł przed siebie.

19

zdążył zrobić i wypić do połowy już czwartego drinka, a Ona nadal nie odkładała słuchawki.

– boję się tej nocy… – załkała.

była taka bezbronna w swoim odległym przerażeniu, którym dzieliła się z nim w zdawkowych słowach.

siedział na podłodze, zmęczony dniem, w jednym z kolejnych wynajętych pokoi, który zamierzał opuścić, zanim zacznie mu się podobać.

stopą przysunął do siebie przepełnioną popielniczkę.

– Kochanie… – mruknął. – nie ma człowieka, który nie bałby się niektórych nocy. połóż się już, proszę… mam dziś tak, że mógłbym pić godzinami, a ty powinnaś odpocząć…

– przyjedź… – Jej głośny szloch zamknął mu usta.

– jestem na drugim końcu świata…

– ty zawsze jesteś na drugim końcu świata.

nic nie odpowiedział, bo co miałby powiedzieć tej przerażonej kobiecie, w której poszarpane oddechy wsłuchiwał się od kilku godzin?

– nie proszę cię, żebyś wrócił…

– wiem, że nie prosisz.

– …bo wiem, że byś nie wrócił.

cisza, jaka zaległa między nimi, była ciszą specyficzną dla ludzi oddalonych, którzy jakimkolwiek tematem boją się naruszyć misternie utkaną tkankę spokoju, powlekającą wzajemnie zadany ból.

20

– a pomyślałeś kiedyś, co by było, gdybyś w końcu znalazł to, czego szukasz? – po raz pierwszy od lat usłyszał Jej głos w słuchawce. zmieniony, dojrzalszy, może nawet twardszy od życia; inny niż ten, który zapamiętał.

zadzwonił do Niej całkiem spontanicznie, z jakiejś podupadłej, przygranicznej wsi. przyjechał, wynajął kąt u przygodnie spotkanego człowieka i wyszedł w noc. a później po prostu wszedł do okurzonej budki, zapalił, wykręcił z pamięci numer i usiadł na podłodze, nie licząc nawet, że ktoś podniesie słuchawkę.

gdy odbierała, nie wiedział, co ma Jej powiedzieć, i sam się rozłączał albo milczał.

dziś, po raz pierwszy od tak dawna, ich oddechy skrzyżowały się ponownie.

– gdybym w końcu kiedyś znalazł to, czego szukam, cokolwiek by to było, odłożyłbym to na bok i ruszył szukać czegoś innego – powoli ważył słowa.

– i dokąd to by cię zaprowadziło? – wyczuł w Jej głosie nutę rezygnacji, pokrytą sztuczną ciekawością.

– nie wiem... – westchnął. – chciałbym, by wszystkie moje ścieżki prowadziły choć na chwilę do twoich ust...

– nie tęsknisz.

– tęsknię...

– nie sądzę – wyszeptała twardo.

– tęsknię po swojemu. tęsknię milczącym bólem, pytającym cię bezgłośnie na skrzyżowaniach, gdzie mam iść; tęsknię krzykiem w nocy, gdy otwieram oczy i nie wiem, gdzie jestem; tęsknię bólem lędźwi, oddechów i myśli. ale to dla ciebie, ale to dla kobiet za mało. wy musicie czuć dotyk, mocne ramię; musicie mieć poczucie, że macie na kogo osunąć się w swoich butach na wysokich obcasach, gdy zadrżycie niespodziewanie. w tym tkwi różnica: w myśli i dotyku.

21

„tak często myślisz, że mnie nie ma. że milczenie jest nieobecnością; jedną z moich prywatnych podróży, których tak się boisz, bo wydają się bezpowrotne. i to oddalenie przesiewasz przez roztrzęsione dłonie, które nagle wydają się puste. chowasz je w kieszenie, splatasz na gazetach i książkach czy kubku wystygłej kawy. tak uroczo siadasz na palcach, podkładasz je pod uda, by bezwiednie nie szukały moich rąk. patrzysz na drzwi wyczekująco, rozglądasz się na ulicy, z sercem migoczącym jak gwiazda albo szkiełko na słońcu. podśpiewywaniem przeganiasz myśli, uporczywie układające się w słowa podszeptywane przez tęsknotę: że mnie nie ma, nie ma, nie ma; że gdzieś poszedłem i nie wrócę, albo – co jeszcze boleśniejsze – że może nigdy mnie nie było, choć powinienem być.

a ja jestem i byłem.

kobiety zawsze chcą mieć kogoś, komu mogłyby położyć rękę na ramieniu.

czy to jest życie?

mieć kogoś bliskiego właśnie dla tego ramienia?

czy nie pełniejsza jest obecność w codziennych, ciepłych myślach, płynących choćby z drugiego końca świata? czy wymagają one zamykania w wypowiadanych słowach?

czy jeśli teraz napiszę, że Cię kocham, będzie to w pełni dla Ciebie wystarczające?

powiedz mi, co to znaczy.

czy powinienem słać Ci listy dzień po dniu, byś mogła spać spokojnie i by Twoje drżące usta nie gryzły nocami poszewki?

czemu ludzie ciągle potrzebują zapewnień, że są komuś bliscy? dlaczego tysiące słów trzeba powtarzać, by życie mogło spokojnie biec dalej?”.

podpisał kartkę literą imienia, zamknął słowa w kopercie i opadł zmęczony na fotel. sam już nie wiedział, czy nadchodził świt, czy może wieczór. gdzieś daleko niebo wplatało pioruny w monotonię miasta. w kącie pokoju milcząco czekała spakowana walizka. i też nie mógł sobie przypomnieć, czy gdzieś wyjeżdża, czy dopiero gdzieś przyjechał.

22

– jesteś? – głos w słuchawce zawisł na znaku zapytania.

– przecież do ciebie dzwonię – mruknął, siadając na zafajdanej podłodze budki telefonicznej.

– wiesz, ile czekałam na ten telefon?!

– ile? – zapytał odruchowo.

– pieprzone osiem lat!

– nie chciałem wiedzieć.

– jesteś trzeźwy?

– gdybym był, to bym nie zadzwonił – roześmiał się metalicznie.

– odkładam słuchawkę.

– poczekaj... – w odpowiedzi usłyszał sygnał przerwanego połączenia. – chciałem ci tylko opowiedzieć ten dzień, w którym odszedłem... – pociągnął łyk z butelki, zapalił papierosa, nogą uchylił drzwi budki, zamknął oczy. – spodobałoby ci się tutaj... milczące schody między cichymi domami, w których tylko dźwięk naczyń, płacz dziecka, matka robiąca pranie na podwórzu. i pies. zobaczyłem cię dzisiaj. w tym starym domu, w tej kuchni, której okno wychyla się na ulicę i pachnie oregano. przy piecu, gdzie ogień strzelał, miałaś dłonie w mące i chustę na głowie. chyba nawet tę, w której twoja matka kupowała kiedyś pomidory na targu w środku tygodnia, gdzieś na północy, gdzieś w środku lata. nie pamiętam, ale to nieważne, ta chusta jest ważna, bo zobaczyłem ją dzisiaj i przywołała mi ciebie. i nie chciałem, żebyś się odwracała do okna, bo wyobrażenie by prysło i dłonie byłyby inne. oparłem się o mur i patrzyłem, i pamiętam fakturę tych cegieł, które mnie podtrzymywały, żebym nie upadł, patrząc na ciebie. w wąskiej talii rozwiązywałem ci wzrokiem płócienny fartuch na letniej sukience. mógłbym przysiąc, że to byłaś ty, że to był tamten dzień. chciałem wejść i cię dotknąć, ale czułem, że dotyka cię ktoś inny. i czułem, że to naturalny bieg życia. ale jednocześnie modliłem się, żeby tego kogoś jeszcze tam nie było. spod chusty wypadł ci kosmyk włosów i od razu go pokochałem. zakochiwałem się w nim wciąż od nowa, przy każdym spojrzeniu. dałem sobie prawo, by go kochać. szykowałaś mate, kubki i wiedziałem, że wieczór nadchodzi, bo otuliłaś się ramionami na chwilę, i oddałbym wszystko, by wtedy móc cię ogrzać. wieczór nadchodził i byłem wobec niego bezradny. gdy dziecko zasnęło zmęczone płaczem, wsłuchiwałem się w ciebie. chciałem usłyszeć wszystko. każdy oddech, to, jak dotykasz naczyń i stołu, jak wszystko drży, gdy zaparzasz mate; jak ten kosmyk opada ci na policzek i jak go odgarniasz nadgarstkiem. nie umiałbym ci tego wtedy opowiedzieć, bo zobaczyłem to dopiero dzisiaj. i mówię ci to dzisiaj, choć te słowa przyszły o lata za późno. i stojąc tak, poczułem, jak tracę siły od tego dotykania cię wzrokiem, i osunąłem się na kolana, widząc ten dom, pełen i nabrzmiały twoją obecnością, miłością i czekaniem. mate wystygła w kubkach i ty wystygłaś w tym bólu, z oczami wbitymi w pusty stół, od którego wstałem, by już nie wrócić… dziś to zobaczyłem…

odwiesił słuchawkę dopiero wtedy, gdy noc pakowała walizki.

23

„(...) jesteś piękna w tej mojej tęsknocie, której piękna nie potrafię uchwycić. być może jestem zbyt pijany, zbyt zmęczony i zbyt stary, by móc to zrobić. a może ona jest bezkresna i na próżno wypatruję jej granic. nie wiem, gdzie jesteś, i ta wiedza nie jest mi do niczego potrzebna. wystarczy, że zamknę powieki, byś do mnie szła w ich korytarzach, zbliżała się powoli; tak wolno, bym mógł do woli na Ciebie patrzeć i cieszyć się tym widokiem. i nic nie mówisz, milczysz i ja nie potrzebuję słów, gdy już podejdziesz tak blisko, że mogę słyszeć nawet Twój oddech spokojny. i słysząc go, mogę już zasnąć, a Ty wchodzisz ze mną w ten sen i śnisz mi sny, i one też są piękne i miękkie jak Twoje dłonie. i gdy się budzę, szukam Cię w swoich ramionach i widzę, że zachłannie obejmuję poduszkę. odtrącam ją, bo jej chłód nie jest chłodem tych dłoni, o których śniłem. a nie chcę nic innego. tylko te dłonie, które należą do Ciebie.

i gdy wstaję, to czekasz już na mnie w łazience. spoglądając w lustro, szukam za sobą Twoich oczu. tych jasnych, błyszczących niebieskości, którymi patrzyłaś na mnie zawsze tak, jakbym był piękny, młody i nigdy Cię nie skrzywdził.

zawsze chciałem Ciebie więcej. zawsze było mi mało, mało, mało.

gdy Cię nie widziałem, wszystko mnie bolało i nie wiedziałem jeszcze wtedy, że to tęsknota, że tak to się nazywa i że bywa nieuleczalna.

a Ty wtedy zawsze wracałaś, a ja się bałem, nawet gdy wychodziłaś do sklepu czy do sąsiadki na kawę.

a potem zniknęłaś, leżąc w mych ramionach, gdy nie spodziewałem się tego, bo byłaś tak blisko, jak tylko można być.

wtedy myślałem, że być blisko to splatać się ramionami.

dziś nie wiem, które z nas odeszło, gdy tak się przytulaliśmy w milczeniu i gdy zasnęłaś, a ja zdejmowałem Ci łzy ze snów i liczyłem Twoje oddechy. spałaś tak długo, jakbyś nie chciała się nigdy obudzić, bo pobudka naznaczona była podjętymi decyzjami. i ja wiedziałem, patrząc na Twoje senne łzy. i Ty wiedziałaś, śpiąc ponad czas. siedziałem tak godzinami i patrzyłem na to łóżko, nasze łóżko, naszą łódź, nasze życie i wbijałem w siebie ten obraz cienkimi igłami znieczulanymi butelką wódki. nie znieczulała. a i tak wbijałem. bolało i chciałem, by bolało, bo ból nadawał temu trwałość i właśnie dlatego mogę to teraz Ci opisać (...)".

odłożył długopis. zapisane kartki wrzucił do szuflady starego sekretarzyka, z którego odłaziła zielona farba. wstał, sięgnął po płaszcz. do kieszeni włożył butelkę wódki i dwie książki. wyszedł na korytarz, zszedł do recepcji, bez słowa położył na kontuarze należność za trzy ostatnie noce i wyszedł.

24

– zadowalałaś się najmniejszymi okruchami ciepła – był schyłek nocy, gdy szeptał do ciągłego sygnału w słuchawce. – a ja, choć tak bardzo pragnąłem dawać ci ich jak najwięcej, nie pozwalałem sobie na to, by nie zatrzymywać cię przy sobie. każdy taki dzień, zamiast dawać stopniowe ukojenie, potęgował ból, który wzmagał krzyk i jednocześnie sznurował usta...

odłożył słuchawkę na nocny stolik, wstał z podłogi i poszedł do kuchni po butelkę ginu.

– często zastanawiałem się nad przecięciem naszych dróg – oparł się znów o łóżko. dno butelki zaszurało na zdartej, drewnianej podłodze. – gdybyś mnie nie poznała, twoje dni nie nosiłyby na sobie moich blizn, milczenia i dystansu, który tak kurewsko ciężko było mi zawsze utrzymać. i jak widzisz, trudno jest nadal... – westchnął głęboko, wydychając ból. – gdybym cię nie poznał, nie wiedziałbym, że za człowiekiem można tęsknić jak za podróżą; że ból duszy ma tysiące odcieni i dźwięków;

że sny spełniają marzenia, po które człowiek nie potrafi wyciągnąć ręki na jawie. tak długo nie piłem ginu – uniósł przed siebie butelkę. – jeszcze dłużej niż trwa tęsknota za twoimi pocałunkami. ostatni raz miałem go w ustach podczas jednej z nocy, na jednym z wielu krańców świata, gdy umierałem na zawołanie. i jak dzisiaj, była to chłodna, samotna chwila i nie interesowało mnie nic poza tym, by uciszyć ból, który nie pozwalał mi oddychać. włóczyłem się po bezimiennych ulicach śpiącego miasta, którego sztuczny oddech przywodził mi na myśl rutynową pracę respiratora. wystarczyło pstryknięcie, by wszystko zgasło. i gasło. i nie miało to najmniejszego znaczenia, tak jak nie ma to znaczenia dzisiaj. dzisiaj piję gin inaczej. ma w sobie świadomość. świadomość ugłaskiwania bólu, który nie jest jedynie mój. czy nie inaczej tęskni się za umarłymi? gdybym potrafił podziękować ci jednym zdaniem, podziękowałbym ci za magię, którą wtłoczyłaś w krwioobieg moich dni. podziękowałbym za każdą łzę i niepokój, bo one sprawiły, że patrzyłem na siebie jak na człowieka. egoistycznie wmawiałem sobie, że choć przez chwilę czułaś podobnie, bo to czasami pomagało mi zasnąć spokojnie i pięknie śnić.

gdybym miał nazwać cię najkrócej, nazwałbym cię moją najszczęśliwszą podróżą...

KONIEC